U0136962

中國的《聖經》
——商朝的《歸藏》易

趙衛民　著

臺灣學生書局印行

中國的《聖經》（代序）

　　《四書》為小《五經》，《五經》為人《四書》。《五經》為中國人萬世不易之常道！《詩》、《書》、《禮》、《易》、《春秋》所沾溉於我者，多在《詩》與《易》，詩和哲學之故。

　　《尚書》是上古之書，古代相傳的史料。《禮》又有《周禮》、《儀禮》、《禮記》，真是令人「煩擾而不悅」！《春秋》又有《左傳》、《公羊》、《穀梁》三書，再加上《論語》、《孟子》、《孝經》、《爾雅》又成《十三經》。使我們的文化糾纏上繁瑣的歷史癖，能深入其中者，能繼往？難以開來！難免犯頭重腳輕之病！

　　至少以研究哲學的立場稍事平衡，儒家的《論語》、《孟子》與道家的《老子》、《莊子》應當是同等的。不過在歷史上怎麼看老子都是孔子的老師，否則何至於儒家的司馬遷在《史記》中把老子「神話化」，說孔子讚歎老子「其猶龍邪」！老子是道家宗師，孔子是儒家宗師，居然是「師生關係」！不免就把兩人的概念思惟拿來對比一下：老子是「道生之，德蓄之，物形之，勢成之。」老子在道的概念和德的概念，其動力方向多麼明確！而孔子是「志於道，據於德，依於仁，游於藝。」「道」是念茲在茲的生命意志所嚮往的方向，「德」是我們立身處世的根據。如果不是師生，四個重要的概念字又怎會有兩個「重複」！

道的概念是孔子揣摩老師老子的心意,還是模仿老子的概念?在
孔子前是否只有老子所代表的道家?兩個大哲學家,一為道家宗
師,一為儒家宗師,是師生,卻有相同的兩個根本概念!道的概
念在孔子或許是周公制禮作樂的人文主義,到「天」道的超越性
則較明確,但孔子的「德」很難說是道德,有時還有生活空間的
意味。這個「德」字多少有些迷離恍惚之感!

　　師生關係一經確定,儒、道既已翻轉,也就避免以《易傳》
解《易經》!「凡此,皆足證文王時殷人已有占卜之書。文王被
拘羑里,寂寞無聊,乃重八卦為六十四卦,並作卦辭爻辭,殆就
殷代所用卜筮之法之辭而改作者……則文王時,易之《經》已具
矣,但尚為卜筮之書耳。」[1]文王如作卦辭、爻辭,結果仍為卜
筮之書,他的「憂患意識」(《周易‧繫辭》)何在?卦辭、爻
辭已分明具有意義!我們必得有直面《周易》的氣魄!

　　只不過以《周易》「首乾次坤」的系統看,〈乾卦〉由「潛
龍」到「見龍」、「飛龍」、「亢龍」氣勢一貫,到〈坤卦〉隔
五爻再出現「龍戰於野,其血玄黃」,致使崇高雄辯、浴血苦戰
的意象淪為「孤龍」,不知何指?令人錯愕!但如果依孔子於
《禮記‧禮運》所說:「吾欲觀殷道,是故之宋,而不足徵也,
吾得《坤乾》焉。」《史記‧孔子世家》並載,較《論語》具體
而特殊。周人稱商為「殷」,換言之,殷商之道在《坤乾》,只
與孔子在周朝所見的《周易》的「首乾次坤」不同,而是「首坤
次乾」。孔子說:「不足徵也」是文獻不足,文字上看來並無兩
樣,也是儒家之眼看不出道家義理,以為「坤乾」和「乾坤」沒

---

[1]　蔣伯潛《十三經概論》(臺北:中新,1977),頁 41-42。

什麼不同！商的後代被周封於宋國，宋國保留的商朝文獻是《坤乾》，那麼卦辭、爻辭在商朝俱已成形，何俟文王！而《坤乾》不也正是《歸藏》易的「首坤次乾」嗎？東漢鄭玄注曰：「得殷陰陽之書也，其書存者有《歸藏》。」孔子是《歸藏》易的見證人！

　　這樣一順通，〈坤卦〉前五爻就成為生命哲學，〈上六〉就成為道的紀元的轉換，天與地的戰爭！將《周易》的道德形上學扭轉成商代《歸藏》易的生命哲學，橫向的經驗主義看來比較質實一些。這樣〈坤卦‧卦辭〉的「利牝馬貞」就代表了長期母系社會的智慧。「相土作乘馬」，商族第三代領袖相土因作乘馬，威震蠻夷。青銅匠鑄造馬車構件，商王武丁有四十輛馬車，學界戲稱武丁的「藍寶堅尼」。故而馬的出現在人類生活圈，甚至馬路的出現，在商朝是一件大事。商朝卻在動物行為學的觀察中，不以馬的快速為軍事用途（鐵騎）自豪，而當牝馬履霜時放慢速度，由身體觸覺之微寒的感覺，知道一種必然性：即沿此方向行進，會遭受身體觸覺之酷寒的感覺，由身體略有威脅感而可能遭至毀滅！故商朝人在面臨刺激時留下了美學的緩衝地帶，而成為智慧的沉思。由「履霜，堅冰至」的動物行為觀察，而有「直、方、大，不習无不利。」的領悟到：生活實踐要小心試探，細微的不好就要了解到：順此方向行去，將遭至更大的不安。也就是在「欲力經濟學」（libido economy）中，我們的欲力不因小小的損耗而遭至更巨大的摧折，而要改變行進的方向。這樣人生的道路就成為筆直、方正、廣闊的大路，沒有另外的學習也不會有不利了。

　　生命的教學應是如何在短暫的一生中獲得最充盈的力量（馬的速度），要跟隨最有力量的人學習；在學習的過程中，收束起囊口，韜光養晦！直到自己擁有最大的力量（成為王）。

這樣，我們的習俗價值將扭轉，生命的智慧將注視到：一種未知的力量將在渾沌中運作，天與地的戰爭，這正是「龍戰於野，其血玄黃！」我們將創造新世界！

《歸藏》易以〈坤卦〉為主，萬物莫不歸藏於大地之中，才是《大易》（偉大的《易經》），是生命哲學，是中國的《聖經》！至於《周易》，只是乾坤顛倒、偷天換日；成就一套道德形上學。《歸藏》易是智慧之眼，《周易》是道德之眼！

如果按顧炎武《日知錄》所說：「三代以上莫不知天文。」到《夏小正》星象、曆法及物候學，夏朝約470年，多用以安排農事生產活動。夏朝雖無文字，但後代被商湯封於杞國，至少在周朝時是有文獻紀錄的，孔子到杞國去見過《夏時》！到了商朝，「我國古代在世界上被譽為『絲綢之國』，早在三千年前的商朝就奠定了基礎。」[2]不但是絲綢之國，還應有「絲路」！「相土作乘馬」，相土就是馬車的發明者，此事如此大書特書。不僅「王亥服牛」，牛負重拉車以貿易，馬的速度在軍事上更為鐵騎！商朝約570年，商朝出現的甲骨文在龜甲獸骨上，金文刻於青銅器上，夏、商千年以上豐富的生活經驗。商的後代被周封於宋國，孔子到宋國去見到了《坤乾》，即《歸藏》易，又豈止於占卜的陰陽之書。

至於周朝，「古公在邠，還住地穴，其時周人的文化可想而知。遷岐之後，他們開始有宮室、宗廟和城郭了。季歷及其子昌（後來追稱文王）皆與商朝聯姻，這促進了周人對商文化的接受，也即促進了周人的開化。」[3]這恐較為持平之論，商文化是

2　孟世凱《夏商史話》（臺北：貫雅，1990），頁250。

3　張蔭麟《中國上古史綱》（臺北：里仁，1982），頁37。

燦爛輝煌的文化，《歸藏》易是其結晶！周文化踵繼其後，《周易》乾坤顛倒、偷天換日，開的是人文主義。孔子「晚而喜易」，只稱《易》。

　　《歸藏》易才是中國的《聖經》。從意象思惟上看，「龍戰於野，其血玄黃。」（〈坤卦・上六〉）是上古最雄辯的意象，天與地的戰爭，世界與大地的戰爭，習俗價值終歸於沉沒，由大地來的要回歸於大地，再崇高的價值也要經歷沉落。大地，就是生命的精義！道紀，有紀元（epoch）的轉換！由〈天地否〉轉至〈地天泰〉！要重新創造新天地！何至於如《易傳・坤文言》說：「陰疑於陽必戰，為其嫌於无陽也，故稱龍焉！」就是說〈坤卦〉不能有龍，有龍也是假龍、偽龍，偽稱自己為龍，故與〈乾卦〉真龍交戰，流血是自找無趣。《易傳》的解釋已是夫妻閨房大戰，如此不堪！

　　「龍戰於野」的龍在《周易》「首乾次坤」下，淪為〈坤卦〉中的孤龍，在《易傳》中又成為假龍、偽龍。同樣在《周易》的「首乾次坤」下，〈坤卦〉卦辭的「利牝馬貞」只成《易傳・文言》：「地道也，妻道也，臣道也。」的一隻模型馬，不知道「牝馬」亦可感受「履霜，堅冰至」的謹小慎微，商朝人由於動物行為學的觀察，凝結成為人生的智慧！

　　這部《歸藏》易被《周易》乾坤顛倒，塵封三千年；只要回歸還原，就是我們中國的智慧之書，中國人的聖經！

趙衛民 於淡江大學中國文學系
2021 年 5 月 1 日

VI　中國的《聖經》──商朝的《歸藏》易

中國的《聖經》
——商朝的《歸藏》易

目 次

前言：
我爲何發現了商朝的《歸藏》易

　　《大易》爲群經之首，這正是讚歎《易經》是偉大的《易經》！顯然是群經之首，必然是哲學之書、智慧之書。

　　可惜的是這本哲學之書、智慧之書，二、三千年來執著於「持傳解經」的成規，致失去或淹沒了本來的面目！

　　通常把偉大的《易經》，歸之於偉大的哲學家之手，即是孔子，又有何疑！故《史記‧孔子世家》云：「孔子晚而喜易。序象、繫辭、說卦、文言。」就認定這〈繫辭〉即是卦辭、爻辭繫於每卦每爻之下，而謂：「但謂孔子未贊易之前，只有占法，而無爻辭，此必不然。二帝三王之世，當有卜辭流傳。孔子作卦爻辭，容有采取，然一經孔子之手，便賦以哲學意義。」[1]如說孔子作卦、爻辭，實離孔子自述「吾述而不作，信而好古。」（《論語‧述而》）之意，也就是古經大約都經漫長的時間如鐘乳石慢慢滴漏、沉澱，復經史官之手。故而其弟子徐復觀（1904-1982）不惟不認卦、爻辭出於孔子之手，更認爲沒有系統的理據可言！「若無十翼中的〈彖傳〉、〈象傳〉，而僅有卦

---

[1]　熊十力《讀經示要》（臺北：廣文，1975），卷三，頁3。

辭、爻辭，則仍停頓於占筮者各自為說的混亂狀態，沒有構成系統的理據可言。因此，《周易》遂盛行於春秋時代，而《易》得成為經學的意義，實出於孔子。」[2]這又視卦辭、爻辭為占筮者的卜辭，那麼偉大的《易經》，實在於《易傳》了。熊十力（1885-1968）以一代大儒，多少有直面《易經》的智慧，而其弟子徐復觀則認為《易經》係卜辭而無定準，只有「持傳解經」。

其實定要把《經》、《傳》分開，直面古經！方東美（1899-1977）有比較中肯的評斷：「本來到漢以前，符號和卦爻辭的系統屬於古代的易經，而十翼則是孔子和商瞿一學派的成就，這兩部分直到漢代是分開的，稱周易古本，《經》、《傳》分開，所謂《傳》只是注解，說明經文的意義。本來這是兩套書⋯⋯。」[3]周代至漢以前，是《周易》；孔子及其弟子所傳，是《易傳》。《經》、《傳》分開以後，你得像孔子一樣直面《周易》！這才是哲學面目。但經文太簡，難以確定，除非逕直擁抱《易傳》，否則義理不易落實！很難煥發出雄渾淋漓的新面貌。

如果這《周易》由西方哲學的懷疑大師尼采來閱讀會是如何呢？尼采稱人類文化為「壞良心的發明者」：「但這開始了最嚴重和最奇怪的疾病⋯⋯強行地隔離於他動物的過去，就像一種跳躍和陷入新的環境和存在情況，向古老的本能宣戰的結果，而這古老的本能卻是他的力量、歡樂和可怕（terribleness）所依賴

---

[2]　徐復觀《中國經學史的基礎》（臺北：學生，1990），頁 21-22。
[3]　方東美《原始儒家道家哲學》（臺北：黎明，1983），頁 128。

的。」⁴所以文化的起源是與「古老的本能」宣戰的結果，「壞良心」強行地隔離動物的過去，也使他隔絕了自己的力量、歡樂和可怕。可怕大概是描寫深淵一般的力量。那麼《周易》是不是「壞良心」呢？有沒有跟我們「古老的本能」宣戰呢？有沒有強行地隔離動物的過去？

　　因為海德格晚期曾寫四大冊《尼采書》，故我轉向海德格研究，並以此會通老子。海德格仕「世界與大地的爭鬥（strife）」這觀念，正在說明存有紀元（epoch）的開顯與遮蔽雙重運動，它持續一個紀元，一段時間，然後消逝。這正足以悟解〈坤卦・上六〉「龍戰於野，其血玄黃。」「龍戰於野」是中國古代最雄辯的意象，龍飛天入地，龍飛九天、下潛深淵，龍是天、地之間的運動，而天地正足以釋海德格的世界與大地。在天與地的爭鬥中，大地要把天拉入自己，故龍在大地之上浴血苦戰，龍無非是道的開顯與隱蔽，故龍的血是天玄而地黃的玄黃之色，這點即使《易傳・文言》也很明白：「夫玄黃者，天地之雜也，天玄而地黃。」龍所表現的是天地之間的運動，由萬物之間的變化所引起。雖然如此詮釋，已是道家或海德格義理，但在《周易》的「首乾次坤」仍不敢變動，只不過看出乾、坤兩卦的隱喻系統，「應是首坤的，這是『歸藏』易的順序。」⁵「也就是由〈坤卦・上六〉後，再接〈乾卦・初九〉：「潛龍勿用」，才是正理，才有意義。這是當時的「跨亞洲之眼」！

　　我一方面繼續整理莊子，比較老子與莊子的概念思惟，一方

4　Friedrich Nietzsche "On the Genealogy of Morals." Walter Kaufman trans. (New York: Vintage, 1989), p.85.

5　趙衛民《簡明中國哲學史》（臺北：學生，2012），頁43。

面也繼續研究後結構主義思惟，大致按傅柯、德希達、李歐塔、德勒茲的次序。這時特別注意到老子「道、德、物、勢」的概念，即「道生之，德蓄之，物形之，勢成之。」（《老子·第五十一章》）到莊子成為：「泰初有無，無有無名，一之所起，有一而未形。物得以生，謂之德，未形者有分，且然無間，謂之命；留動而生物，物成生理，謂之形……。」（《莊子·天地》）大致來說，以「無」取代了老子的道的概念，說無說道，皆無不可，都是道家，老子的「道、德、物、勢」四個概念，成為莊子「道、德、命、物、理、形」六個概念，如再對準概念的相對位置，成為「道、德、物、形」四個概念。那麼道、德兩個概念不論，老子的「物有其勢」到了莊子則變成「形在物外」，也就是物不見得能保有其形，難怪在《莊子》書中，殘缺、異形不礙其得道。也注意到他的神人概念分明是少女形態：「藐姑射山有神人居焉，肌膚若冰雪，淖約若處子，不食五穀，吸風飲露；乘雲氣，御飛龍，而游乎四海之外。」（〈逍遙遊〉）那麼這美少女和「莊周夢蝶」的寓言有沒有關係？如有，這蝴蝶之變就是少女之變，就發現與德勒茲「變成－女人」（becoming-woman）的概念相通。

由此開始，由於德勒茲注重概念思惟，老子的基本概念是「道、德、物、勢」。孔子呢？年少時以為孔子的「道」、「德」只是當時一般泛泛的概念而放在一邊，只把孔子視為仁學，但現在孔子的基本概念應是：「志於道，據於德，依於仁，游於藝。」（《論語·述而》）老子為道家代表人物，孔子為儒家代表人物，何以基本概念竟有道、德二概念重複！孔子對「道」念茲在茲：「士志於道，而恥惡衣惡食者，不足與議

也。」（《論語・里仁》）但道的內容卻逐漸認同於「久矣吾不復夢見周公！」（《論語・述而》）也就是周公制禮作樂的起源運動，甚至推溯到「文王既沒，文不在茲夫！」（《論語・子罕》）以文王為周朝文化道統的起源。最後訴諸超越的天道作為價值的保證：「知我者，其天乎！」（《論語・憲問》）而「德」的概念卻恍惚難定：「為政以德，譬如北辰，居其所而眾星拱之。」（《論語・為政》）這「德」似指道德教化，但又有空間的意味。「里仁為美」（《論語・里仁》）又有鄉里的空間意味，孔子說：「據於德」，德是我們立身處世的「依據」。

　　無論如何，四個基本概念中兩人竟有兩個概念字是重複的，你必須正視其中的「師生」關係。無怪乎儒家的司馬遷反而把老子「神話」化！「孔子適周，將問禮于老子。老子曰：『子所言者，其人與骨皆已朽矣，獨其言在耳。且君子得其時則駕，不得其時則蓬累而行。吾聞之，良賈深藏若虛，君子聖德，容貌若愚。去子之驕氣與多欲，態色與淫志，是皆無益於子之身。』」（《史記・老子韓非列傳》）孔子文化的承擔，多識「前言往行」，孔子卻受老子「教訓」：這些人如文王、周公人與骨皆已腐朽！好商人善於隱藏雄厚財力好像空虛一樣，那麼君子盛大的德性也要好像愚者一樣，最後教訓孔子其弟子陣容壯盛，有好為人師之驕氣與多欲，態色與淫志！孔子「受教」後卻告誡弟子：「吾今日見老子，其猶龍邪！」孔子對於老子，有「神龍見首不見尾」的敬畏。

　　師生地位既定，則「刪詩書，訂禮樂，演周易，作春秋。」這都成為孔門編訂的教科書。演《周易》為《易傳》，「孔子晚而喜易，讀易至韋編三絕。」（《史記・孔子世家》）孔子熟讀

的自然是《周易》，孔門編訂為《易傳》。不過這裡有個插曲，「言偃復問曰：『夫子之極言禮也，可得而聞與？』孔子曰：『我欲觀夏道，是故之杞，而不足徵也；吾得夏時焉。我欲觀殷道，是故之宋，而不足徵也；吾得坤乾焉。坤乾之義，夏時之等，吾以是觀之。』」（《禮記・禮運》）同文收入《史記・孔子世家・問禮》，只不過「吾得坤乾焉」改成「吾得乾坤焉」，「坤乾之義」改成「乾坤之義」。司馬遷是儒家，就《周易》來看，〈乾〉卦一定在〈坤〉卦之前！到《論語》中，完全只成禮的問題，子曰：「夏禮，吾能言之，杞不足徵也；殷禮吾能言之，宋不足徵也。文獻不足故也，足則吾能徵之矣。」（《論語・八佾》）孔子尋求禮的文獻來驗證夏禮、殷禮，夏禹的後代被封於杞，商湯的後代被封於宋，周人稱商為殷。在《論語》中多麼單調，是夏禮、商禮，至少在《史記・孔子家語》中是「孔子謂南宮敬叔曰：『吾聞老聃博古知今，通禮樂之原，明道德之歸，則吾師也。』」也就是說孔子尋求的是「禮樂的根源」，故前往杞國，得到的是《夏時》；前往宋國，得到的是《坤乾》。也就是說：在周代時，杞國有夏代的文獻《夏時》，宋國有商代的文獻《坤乾》。夏代有口頭語言，無文字，但周代有《夏時》。《禮記・禮運》的「坤乾之義」、「夏時之等」多麼具體、特殊。夏朝時的《夏時》，商朝時的《坤乾》和周朝時的《周禮》是三種不同的文化形態。

清朝顧炎武曾說：「三代以上，人人皆知天文。『七月流火』，農夫之辭也。『三星在戶』，婦人之語也。『月離於畢』，戍卒之作也。『龍尾伏辰』，兒童之謠也。後世文化學士，有問之而茫然不知者。」（《日知錄》）「三代以上，人人

皆知天文」就成熟於「夏時」，也就是夏曆，對星象學的觀察，始可能有「杞人憂天」的成語。還以為杞人憂心天墜！另外《夏小正》相傳為孔子弟子所傳，是中國現存最早的科學文獻之一，也是中國現存最早的一部農事曆書，也同樣是物候現象的觀察。如正月：「啟蟄」、「雁北鄉」、「魚陟負冰」、「田鼠出」等等是萬物生機勃勃、巧妙變化的現象，也是長期觀察的結果。這種物候現象的觀察，就形成主要經濟作物──桑樹，養蠶吐絲的絲綢之路要形成，故商湯因京畿大旱，禱雨於桑樹林（地名為「桑林」）！農商的結合始於商高祖王亥服牛馴馬，用牛車拉著貨物去貿易，農牧業也迅速發展。

　　但商朝人的智慧並不將之歸於青銅器的發明，或任何商業行為，卻歸之於物候學的發展，動物行為學的觀察！也就是孔子在宋國所見的商朝文獻：《坤乾》！孔子居然是見證人！孔子所見的《坤乾》，與《周易》的分別只在「首坤次乾」！如果《周易》的「首乾次坤」說不通，而《坤乾》的「首坤次乾」說得通，代表「坤乾之義」才是《易經》的正版，這是《歸藏》易！而《周易》竟是盜版！關鍵在於〈坤卦・上六〉的爻辭「龍戰於野，其血玄黃」只有放在「首坤次乾」的義理系統才說得通！而〈坤卦〉卦辭「利牝馬貞」正是對牝馬的動物行為學觀察！這也可以說是長久母系社會沉澱的智慧結晶，正好是馬的「速度」進入商朝社會帶來飛快進展的時刻，而〈初六〉爻辭的「履霜，堅冰至」正好是「牝馬」的「停、看、聽」，而「牝馬」是放在踩踏的「履」上，即身體的觸覺，尤其是在母馬懷藏未來生命的警覺上，對母馬生命形態的觀察，溶入了人的生活世界。這「人馬『之間』」或「人馬『一體』」就成為生命的智慧，這是進入人

和牝馬之間難以辨明的地帶。這只有德勒茲的「變成－女人」
（becoming-woman）才能說明！

「必須不要控制語言，必須在自己的母語中成為一個陌生
人，為了把語言拉向自己，和『把某些不可理解的帶入世界』。
這是外部的形式，在兄妹之間的關係，思想家的變成－女人，女
人的變成－思想，拒絕被控制的情感（Gemiit），形成一個戰爭
機器。思想抓住了外部的力量而不是集中在內部的形式，以再安
置（relays）操作而不是形成一個意象；一個事件－思
想……。」[6]思想家的變成－女人是把某些不可理解的帶入世
界，商朝卻在牝馬的行為觀察中變成－牝馬，牝馬的變成－思
想！也就是在商朝因對馬的速度的發現，因對馬的繁殖中，把馬
的速度與力量帶入人的生活世界。而飛躍的進展中，發現要保存
生命時的小心謹慎，我們只有一個身體！身體的知覺因霜的微冷
要預先感知到再繼續下去會遭遇堅冰！馬的速度，而牝馬的放慢
速度成為智慧！一個事件－思想，思想家的變成－母馬。

由這樣的生命哲學始造成存有紀元的轉變，新紀元的開始！
舊有的價值思想解體，「龍戰於野，其血玄黃！」龍在大地上浴
血苦戰，終究要潛入深淵。

只要乾坤顛倒，《周易》的「首乾次坤」就成為『歸藏』易
的「首坤次乾」，這才是《易經》的原始面目。

6　Deleuze & Guattari "A Thousand Plateaus." Brian Massumi trans. (Gread
　　Britain: Athlone, 2004), p.417.

緒論：商朝人的智慧

　　商朝人的智慧不僅是商業的精明，更是商朝人生活的智慧！被周朝掩蓋、倒裝！致使我們遺失了商朝人對生命的沉思。

　　中國古代最古老的智慧之書是《周易》，夏朝的《連山》易已失傳，商朝的《歸藏》易也已失傳！但孔子只稱《易》。

　　不過在《周易》中，我們所謂「龍馬精神」的這兩隻「生物」，都有其不盡合理處。首先是龍這隻「神祕生物」，在〈乾卦〉中一氣呵成，從「潛龍勿用」到「見龍在田」，「君子夕惕若厲」到「或躍在淵」，「飛龍在天」到「亢龍有悔」，若把龍解釋為君子人格的精神象徵，在進德修業、見用於世的過程，可說渾無罅縫。因為《周易》「首乾次坤」！

　　《坤卦》前五爻無龍，直到〈上六〉出現「龍戰於野，其血玄黃」！這是中國古史最雄辯的意象思惟，簡直看到西楚霸王浴血苦戰的氣勢，但隔著〈坤卦〉前五爻，與〈乾卦〉諸龍不能呼應，也不能解釋為君子人格的精神象徵，這條龍就成孤龍、荒龍，與乾卦之龍斷成兩氣。這種構思很不合理！

　　另外，〈坤卦・卦辭〉「元亨，利牝馬貞」，比〈乾卦・卦辭〉「元亨，利貞」多了「牝馬」兩字。卦辭中的文字應通貫全卦而有其涵義。

　　《周易》以〈乾卦〉為首，〈坤卦〉次之；既名《周易》，

始於周朝，這是孔子所見之定本。孔子「晚而喜易」，「讀易至韋編三絕」。

　　不過《周易》在「首乾次坤」下，由〈初九〉：「潛龍，勿用！」〈九二〉：「見龍在田，利見大人。」〈九三〉：「君子終日乾乾，夕惕若厲，无咎。」〈九四〉：「或躍在淵，无咎。」〈九五〉：「飛龍在天，利見大人。」〈上九〉：「亢龍有悔。」甚至〈用九〉：「見群龍无首，吉。」如果把龍視為君子精神人格的象徵，龍的運動和空間位置，視為君子進德修業在社會上的過程，那麼〈乾卦〉甚美而一貫。

　　到〈坤卦・卦辭〉出現「牝馬」，〈初六〉：「履霜，堅冰至。」〈六二〉：「直、方、大，不習无不利。」〈六三〉：「含章可貞，或從王事，无成有終。」〈六四〉：「括囊，无咎无譽。」〈六五〉：「黃裳，元吉。」〈上六〉：「龍戰於野，其血玄黃。」〈用六〉：「利永貞。」〈乾卦〉的龍和〈坤卦〉的龍隔了〈坤卦〉前五爻，故〈上六〉的「龍戰於野，其血玄黃。」這條戰龍變成孤龍，與〈乾卦〉打成兩截。

　　也就是在這裡露出《周易》「偷天換日」的痕跡，如果龍作為君子精神人格的象徵，那麼君子的精神人格要與誰戰呢？《周易》的道德形上學就落入解釋的困境！

　　龍作為君子精神人格的象徵，甚至「龍馬精神」把馬也包括於內，這是「道德之眼」建立的「道德形上學」。東漢許慎《說文解字》說的「龍」卻是「自然之眼」：「鱗蟲之長，能幽能明，能短能長。春分而登天，秋分而潛淵。」鱗蟲如是合稱，也就是體表有鱗甲的動物，一般指魚類和爬行類，也就是《大戴禮記・曾子天圓》中，大約是古代中國人將動物統稱為「蟲」，並

將其依照體表特徵分為五類：毛蟲、羽蟲、介蟲、鱗蟲和倮蟲。如是分稱，鱗、蟲則又包含了動物，例如稱老虎為大蟲，這也就是一般說「龍有九似」：頭似駝、角似鹿、眼似兔、耳似牛、項似蛇、腹似蜃、鱗似鯉，爪似鷹，掌似虎，也就是兼備各種動物之所長，也顯然是集合性的圖騰。而在「能幽能明，能短能長」上，也包含了物之精、粗，且超過我們視覺的能力，似包含一切生命現象。如此說來，龍上天下地、升騰變化，以遊雲驚龍之姿，變幻莫測，最能表現自然之創造變化，這才是「存有宇宙論」（ontological cosmology）。至於「能幽能明」，是就龍之隱顯而言，「幽」則龍潛在淵，所謂潛龍；「明」則是飛龍在天。

　　是「自然之眼」的龍還是「道德之眼」的龍？如果把夏、商、周三代略作區分：夏朝是農業社會，商朝是商業社會，周朝是人文社會！那麼夏朝奠基在星象學和物候學的基礎上，是「自然之眼」；周朝奠基在禮樂制度上，是「道德之眼」。至於中間的商朝，自不能說是「商業之眼」，而應該說是「智慧之眼」。夏朝在「三代以上莫不知天文」的基礎上發展農業歷經 450 年左右，如沒有文字流傳下來，至少孔子在周朝時見過《夏時》，這是杞國的文獻，應是口頭語言。一般講「杞人憂天」，那是夏朝後人被商湯封於杞國，仍熱衷於辨明星象以知民時；一般人看杞國人舉頭看天，不明所以，以為他們憂天崩塌。至於《夏時》則根據《大戴禮記》中的〈夏小正〉雖有混雜，但多認為是現象觀察的文獻或農事曆書，宇宙現象學。這不也正是《尚書》所說：「歷象日月星辰，敬授人時。」所以一套「夏時」，即農民曆或夏曆！在夏朝成熟或成形，是很自然的事。口頭流傳的語言，在

商朝難道不能根據耆老故舊所說加以記載！？故農民曆的基礎於夏朝奠立，由各朝代不斷擴編成形，雜採民俗及占卜等等。雖然我們還是得承認夏朝的文字付諸闕如，但是其內容則有很多已成為農民曆的基礎。而以〈艮卦〉為首的《連山》易，雖是禁忌以開文明，但也是部落族長的威權，恐也是新時代所欲挑戰的。

《夏小正》在一年的十二個月中，記載了每一個月的物候、氣象、天文、農事、田獵，以及與農事有關的活動。其中以觀察動物、植物的生長和活動變化來進行農事活動的記載，可以說是我國最早的物候學。

> 正月：雁飛向北方，雄雞振翼鳴叫（尋求配偶），魚從結冰的水底向上浮，田鼠出洞了，園中看見韭菜長起來，柳樹長出花絮，梅、杏、山桃開花了，農夫們修整耕田起土的農具未耜等等。
>
> 二月：到田中去種黍，羊開始生羔，開始祭鮪（捕魚時候來到），堇菜長出來，開始採摘堇菜，昆蟲蠢動了，燕子來到家中作巢，黃鸝開始鳴叫，芸菜也開花了。
>
> 三月：桑樹萌發，楊樹抽枝，螻蛄鳴叫，採摘藏草，桐樹開花，斑鳩鳴叫。
>
> 四月：麥蚻鳴叫，園中的杏樹結果了，蛙開始鳴叫。
>
> 五月：浮游蟲大量的產生，伯勞鳥鳴叫，蟬也鳴叫了，開始分栽蓼藍（染色草），煮梅子的時候到了。
>
> 六月：煮桃子的時候到了，鷹開始學飛。
>
> 七月：蘆葦開花，小狸長大了，池水中長出了浮萍，掃帚草長成了，寒蟬開始鳴叫，這時雨也下得多了。

八月：瓜成熟了，棗也下樹，栗開始裂皮脫落，鹿開始交尾，鴽鳥飛去，田鼠多起來。

九月：大雁遷向南方，燕子升高飛去，各種野獸入穴，菊花盛開，開始種麥。

十月：冬季打獵之時來到，烏鴉忽高忽低的飛翔，夜長的時候到來。

十一月：狩獵開始，麋鹿解角。

十二月：弋鳥高飛鳴叫，冬風起，昆蟲潛入地下。[1]

　　如果我們看這樣關於物候的記錄總是三代以前到夏朝長期實踐的生活經驗，即使夏朝沒有文字記載流傳下來，也覺得「雖不中，亦不遠矣」。要說三代以上到夏朝的星象學及物候學在夏朝真正使農業臻至成熟，也不為過。夏的後代被商湯封於杞國，「杞人憂天」豈是憂懼天之將崩，而是觀察、認識星象已成為生活的一部分，因為星象與物候的關係，與夏朝人的生活息息相關。夏朝的農業成熟到已有主要經濟作物，就是桑樹。為何在湯建國後不久，王畿內發生旱災，持續七年，湯在桑林設立祭壇，即使是地名，也可知此地實為桑林遍野，「朕躬有罪，無以萬方；萬方有罪，罪在朕躬。」（《論語·堯曰》）這種禱文即是以湯要以自己為「人牲」來祭祀（實際上以頭髮和指甲來代替），求雨以使農作物豐收。桑葉與蠶絲的關係不言可喻，故在夏朝已有的商業行為，在商朝臻至成熟！彷彿是「絲綢之路」的開展。周公將商的後代封於宋國，莊子即為宋國人，故而在「庖

1　孟世凱《夏商史話》（臺北：貫雅，1990），頁93-94。

丁解牛」一文中重演以牛為犧牲的祭祀大典，說「庖丁解牛」合乎「桑林之舞」，不論「桑林」是商湯時樂名還是宋國樂名，實際是承襲湯時甚至以前以桑樹為國家最主要的經濟作物的形式，故庖丁是國家級藝術家的表演！是祭祀大典，也是藝術！但在商湯時祭祀的是上帝，到莊子時已近於祭祀桑樹神，要犧牲流血以滋養桑樹神，讓經濟作物可以繁衍不息。

　　商湯在桑樹林祭祀上帝「桑林」所代表的意義是由農轉商，「絲綢之路」的開展。「絲綢之路」的開展，可不可能是「馬路」的開展？在商湯滅夏以前，為何商族的祖先「相土作乘馬」（《世本・作篇》）這件事要大書特書？相土發明用馬來駄運東西和拉車子，這是使用馬為運輸工具，使農業生產可以向商業拓展。「亥作服牛」也大書特書，也是把牛鼻子弄穿，再用繩子穿上，就可以趕牛運載貨品，農牧的結合，促進了商業的拓展。牛易於馴養，數量也夠，牛車販賣拉出一個商王朝。

　　話說回來，夏朝約 470 年，雖夏代沒有文字，但口頭語言的流傳，孔子能見過《夏時》，《夏小正》這部星象學、物候學、農業曆書，雖雜有後來混集而來的內容，但初始的《夏時》結集，時間再晚也不會晚過商末周初。那麼商朝已有文字，且有近 600 年歷史，無論甲骨文或金文，那麼孔子所見過的殷商之道——《坤乾》要從何覓蹤？《坤乾》怎麼會不留下蛛絲馬跡！同樣，再晚也不會晚過商末！故而史家之筆判斷：「若以殷代文化與周初相較，則頗見其有一脈相承之跡，周代銅器款識，至殷墟文字同出一原……。」[2]一脈相承是周承殷商。那麼《歸藏》易

2　錢穆《國史大綱》（臺北：臺灣商務，1990），頁 22。

與《周易》的關係是什麼呢？「夏、周都是偏西的、尚力行、少玄想的部族，所以他們的祖先，一個是做司空、平水土的禹，一個是號后稷、司稼穡的棄，都是刻苦篤實的人物。商族偏東，祖先是做司徒、司教育的契，一個重理想的人物。」[3]另外，關於周文王與《周易》的關係也只僅為傳說：「紂一時不便下手，便把他囚在羑里（在現在的河南湯陰縣），囚了七年。據說文王利用這段時間，來研討周易，演八卦為六十四卦，作卦辭。卦辭和爻辭是周初的東西，也許經過文王的手。」（同上注，頁 67）既然卦、爻辭是「周初」的東西，文王又怎麼演八卦為六十四卦？反而是殷商末期、周初時「一脈相承」的可能性為大！而且《周易》「定然」經過文王（或周朝史官）的手，只不過能動的部分極少，唯一能做的是「扭轉乾坤」！當把〈坤卦〉放在〈乾卦〉之後，道論或者存有論變成了道德學，實踐的智慧（phronesis）變成了「實踐理性」（康德語），最後生命哲學變成人文主義，以周朝奠基於道德的形上學，當不致於破壞商朝的《坤乾》，只不過轉出了新方向，以〈乾卦〉為首。《周易》躺在我們眼皮下，首〈乾〉次〈坤〉，誰知道只要乾坤大挪移就成《歸藏》易！

　　如果建立在人與萬物有所區分上，那麼萬物的差異很容易被人與萬物的區分所掩蓋，到最後「人為萬物之靈」說明一切，那麼龍所代表的，就是君子進德修業在精神變化過程的象徵，這自然是《周易》的人文主義：強調的是人在自然中的特殊地位。但是《周易》「首乾次坤」中的龍在〈乾卦〉中一貫，在〈坤卦〉

3　錢穆《黃帝》（臺北：東大，1987），頁 64。

中卻隔了前五爻，非常彆扭不順。如果這種彆扭，只要顛倒乾坤，變成《歸藏》易的「首坤次乾」即得以順通，不單表明了《歸藏》易的順序是真實的；即使概念也是真實的，而《周易》才是偷龍轉鳳，才是偷天換日。這也就是劉師培所說：「予謂六藝之學，即孔門所編訂教科書也。孔子之前已有六經，然皆未修之本也，自孔子刪《詩》《書》，定《禮》《樂》，贊《周易》，修《春秋》，而未修之六經易為孔門編訂之六經。……《易經》者，哲理之講義也；……。」[4]這哲理之講義入於孔門之手，就成為儒家哲理，而實就孔子到宋國的訪求，在他眼皮下溜走的是《歸藏》易的《坤乾》！而孔子在周朝所見的《易經》定本，是《周易》的「首乾次坤」。孔子在周朝見的是儒家易，在宋國見的是道家易。道家出於史官，孔子「學禮於老聃」，在他之前只有道家。

　　哲學是概念思惟，《周易》「首乾次坤」以龍為主，當是人文主義。《歸藏》易「首坤次乾」，則「牝馬」應在長久母系社會沉澱出特別的意義。由三代以上的天象，到《夏小正》的物候學，對「牝馬」的觀察似乎也極其自然。由夏朝的農業發展到商朝的商業，「馬」占據了顯著的位置。「活動即生命，不單是我們已知的有等級的個體之現象，它同樣也是天體的現象（存在著有生命的天體），它能夠存在於那些我們認為沒有生命跡象的元素之中。石頭也以其獨特的方式感知並體驗某些情感。生命和意識並非僅僅以人的形式出現的現象，生命和意識始於宇宙。……在這個意義上，動物自然就被認作宇宙力量的占有者，且因此不

4　劉師培《國學發微》（上海：華東師範，2015），頁9。

能被當作低級的存在或是對人的滑稽模仿。」⁵如從宇宙力量來看，天體和星象，動物與人，甚至石頭均已「感受」某些力量。甚至動物和人並沒有本質的差別。那麼當馬這種動物進入了人類生活的居住中，馬如何回應、感受環境的變動，似乎也在人的眼中。馬的速度和力量，被帶進了人－馬關係中，馬的繁殖成為首要的大事。對母馬生活現象的觀察，某些特殊反應的模式，成為生命的啟示。簡言之：〈坤卦・初六〉「履霜，堅冰至。」可以是人對牝馬的行為觀察，也就成為人的實踐智慧。

我們的生命只有一次，而在我們的生命中蘊藏著「另一個生命」的理想，故需小心、謹慎。這就是人的「牝馬之變」！「直、方、大，不習无不利。」是人路，也是馬路。至少前兩句爻辭，是人馬之間，也是人馬一體。這種小心謹慎成為我們的「內在的美」！故〈坤卦・卦辭〉的「利牝馬貞」，就是〈六三・爻辭〉的含章可貞。而「或」是不定之辭，但在簡短的一生中要獲得最大的力量，只有「從王事」；伴隨著最大的力量，更需小心謹慎，不發生實質的碰撞，故「无成有終」！沒有成就，但保存自己的生命直到自然的年歲終點。故「括囊」是韜光養晦，一種內斂式的生命風格已然成形！故而「黃裳，元吉」無非是在短暫的生命中要成為具有最大力量的人！

在三代以上是天象及物候的觀察，在夏朝的宇宙力量出現在農業的「田」上，在商朝的宇宙力量出現在商業的「馬」上，至少在商朝的《歸藏》易上，孕育著一種「母性的智慧」。故而到

---

⁵　吉爾伯特・西蒙東《動物與人二講》，宋德超譯（南寧：廣西人民，2021），頁 45-46。

〈上六〉的「龍戰於野，其血玄黃。」應是宇宙力量的新變化，由農業轉到商業，生命型態是由靜態的觀察成為動態及速度的感受！是存有或道的新紀元。「龍」是宇宙力量在萬物中的變化、出沒，遊雲驚龍，龍的隱、顯、升、沉，最適宜表現宇宙力量翻天覆地的新變化。舊的力量的消沉，新的可能力量的出現，都在地平線上浴血苦戰。

海德格所謂的自然（physis），難道不也像「遊雲驚龍」嗎？「對早期希臘人來說，存有之發生（occurrence）並非『思想』之戰勝，而是『自然』的『強烈力量』戰勝，像海浪，撕開自己的深度和投入進去，或像『發芽、滋養和暴怒的』大地之強烈力量，對存有如何活動，physis 是個基本字。」[6]自然，宇宙力量，道的活動或存有的活動，難道「遊雲驚龍」不足以表現宇宙基本力量的大變化嗎！道的紀元！自然本就包含萬物，不要忘記尼采也曾說過：「如果你是一顆石頭，也不要忘記尋找你的奧菲斯。」奧菲斯（Orpheus）是音樂之神，一路彈奏著七弦琴，石頭在宇宙中也有其力量，它的韻律的力量。

韻律是生命的特殊性，特殊的力量。嗣後懷海德（Alfred North Whitehead, 1861-1947）的歷程哲學就借用了尼采的韻律概念。「那裡有韻律，那裡就有生命……也就是說潮汐的起伏是韻律，月圓、月缺也是韻律，那麼韻律就是生命。」「這事暗示著韻律，更近於證明係生命原因的副本；那就是：那裡有韻律，那裡就有生命，而且只在非常接近時，我們纔可認知得到。然而，

6　Werner Marx "Heidegger and the Tradition." (Evanston: Northwestern Univ., 1971), p.140.

韻律就是生命，在這個意義上，可以說它是包含在自然之中。」
[7]韻律概念是生命現象。

　　那麼我們就在很廣泛的意義上面對宇宙全體。「活動，即生
命，不單是我們已知的有等級的個體之現象，它同樣也是天體的
現象（存在著有生命的天體），它能夠存在於那些我們認為沒有
生命跡象的元素之中。石頭也以其獨特的方式感知並體驗某些情
感。生命和意識並非僅僅以人的形式出現的現象，生命和意識始
於宇宙。」[8]突然間中國三代以上的星象學和長久沉澱到夏朝的
物候學融為一體了，「意識始於宇宙」，而存有只在萬物的變化
的過程，而萬物的變化到變化莫測，就是龍的升騰變化。

　　到了商朝，動物行為的觀測落到了牛和馬之上，也由於青銅
器技術，牛車、馬車都成為農、商結合的顯著器物，牛的力量、
馬的速度也都成為動物行為的特殊性力量，而在馬神奇的速度
中，一隻牝馬放慢速度，成為商朝沉思的智慧！「那些最高級、
不斷分化的動物不僅具備感覺的想像，還擁有某種習慣，並且還
可以通過經驗的累積，獲得某種預測即將發生的事情，以及緩解
可能事件中諸多不利因素的能力……。」（同上，頁 22-23）由
〈坤卦〉卦辭的「利牝馬貞」，難道不能聯結到〈坤卦・初六〉
的爻辭：「履霜，堅冰至。」嗎？這隻牝馬成為母系社會的智慧
結晶，在商朝的《歸藏》易表現出來。

7　李維《哲學與現代世界》，譚振球譯（臺北：志文，1978），頁 615。
8　吉爾伯特・西蒙東《動物與人二講》，宋德超譯（南寧：廣西人民，
　　2021），頁 45-46。

第一章 圖 示

《易經》中龍的運行方向，應是如此：

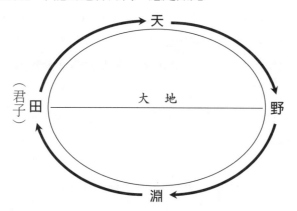

這是《易經》中龍的運動的宇宙密碼！龍的運行方向如由〈乾卦〉開始，分別對應於〈初九〉：「潛龍勿用」，〈九二〉：「見龍在田」，〈九五〉：「飛龍在天」，潛龍在淵對應於飛龍在天，一隱一顯，應該沒有什麼疑義。〈九三〉是「君子終日乾乾，夕惕若厲，无咎。」若把龍視為宇宙力量的運行，或視為道的力量，也需要人的見證，故君子表示道與人的關係。君子的見證是一種旁候，即使到黃昏仍警惕自己非常嚴厲，這樣也不致於有什麼禍患。這樣在〈九四〉時即使道運行的力量一時未獲彰顯，暫時仍歸於隱蔽深淵，也沒有什麼禍患！「淵」是道在

隱蔽的狀態，「天」是道在彰顯的狀態；「田」是人類生活的界域，「野」是無人的界域。

　　「田」和「野」在大地的地平線上，龍的運動上「天」下地，在地下則為「淵」。龍的運行方向，由「淵」向「田」，就是由隱蔽的深淵昇進到大地，開始進入農田，即人類生活的界域。人在此只能是旁候，龍的運動在地平線上只能是隱顯之交，有時又回躍入隱蔽，這就是〈九四〉：「或躍在淵」。直到由隱蔽重新運行到開放，飛翔到「天」上，為每個人都見到，道的紀元的力量在方向上為大家所目擊、見到。運行在高亢中的力量會忍耐，持續一段時間，力量在維持在天上時逐漸耗弱，這就是〈上九〉：「亢龍有悔」。

　　至於〈用九〉：「見群龍无首，吉。」就是有群龍的運行而沒有特殊的方向，能顯出許多有差異的力量運行在不同的方向，此消彼長，此起彼落。

　　不過按現行所認定的《周易》，這種龍所運行的方向被打斷了。

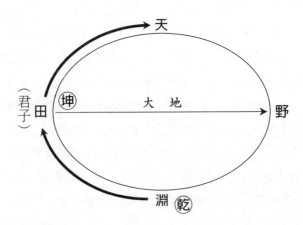

　　《周易》首乾次坤，龍的運行成為君子進德修業的精神象徵，故龍的隱蔽與彰顯，成為君子的不見用與見用。故首先的由隱出顯，是由「潛」龍在淵到「見」龍在田表示；即使時時惕厲，仍有可能由顯回歸到隱，即〈九四〉：「或躍在淵」。直到君子之德大大地彰顯於天下，是「飛龍在天」，〈上九〉的「亢龍」仍是在天上的位置，高亢入雲；但到力量無以為繼時，已「悔」其維持高亢，即維持的力量已難以為繼。

　　《周易》中龍的運行是附屬於人文主義，說是天道亦可，龍的運行由「天」到「野」被打斷，由「野」入「淵」不見蹤跡。〈乾卦〉無由交待，到〈坤卦〉隔了前五爻突然到〈上六〉出現「龍戰於野，其血玄黃」，突然出現一條龍，成為跳跳龍。在龍的運行上孤立無援，很不自然。在《易傳》中更為不堪，成為一條陰龍，偽裝為陽，受傷流血，是假陽不敵於真陽？《周易》的運行方向，〈乾卦〉由「淵」至「田」到「天」，〈坤卦〉是橫向，勉強說是由「田」到「野」。《易‧文言》詮釋〈坤卦‧上六〉說：「陰疑於陽必戰，為其嫌於無陽也，故稱龍焉。」成為閨房大戰，夫妻之間的勃谿。《周易》的運行方向：〈乾卦〉是道德形上學，道德實踐的原則在高度上證成；〈坤卦〉是道德實踐的智慧學。實踐的智慧，在人生成就上證實。〈乾卦〉〈坤卦〉是並行的方向，但基本上是以天道的超越性為主；《易‧文言》：「坤道其順乎，承天而時行。」

　　如果在孔子所見過的《坤乾》，是孔子追尋殷商真理到宋國所見的文獻檔案，那應即是隱去了「歸藏」兩字的《歸藏》易。為何要隱，因為是周朝統治，但周朝也只稱《易》經，所以孔子也稱《易》。《易》首乾次坤，而《坤乾》首坤次乾，當是《歸

藏》易，所以孔子於宋國所見《坤乾》，東漢鄭玄即說是《歸
藏》易。

　　《歸藏》易首坤次乾，則由實踐智慧學開始說，由實踐智慧
學始能更新道的紀元，除舊佈新，舊的道的紀元乃成〈坤卦・上
六〉之「龍戰於野，其血玄黃。」是打碎以前世代的舊的價值標
榜，而開始更新的價值標榜，始有龍潛在淵的力量的蘊蓄！故其
運行的方向甚美而一貫。故而《歸藏》易的方向是橫向，是由生
命的實踐開始，大地上的實踐活動。

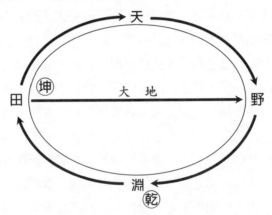

　　〈坤卦〉實踐智慧學是從大地的地平線上開始，直到生命的
完成始啟動新價值的轉換，此時舊的價值已成衰弱的虛無主義，
〈上六〉之「龍戰於野，其血玄黃」正是道的先前紀元「飛龍在
天」經過「亢龍有悔」而衰墜於地，掀起新舊交替的戰爭。浴血而
戰後，宇宙生命的動力陷入混沌不明，正如龍負傷流血後潛入深
淵。這正是〈乾卦・初九〉之「潛龍勿用」，潛龍在淵，在空間位
置上由「淵」來表示，由此啟動宇宙動力的循環，「見龍在田」
後疑惑未定之「或躍在淵」，再「飛龍在天」，再「亢龍有悔」。

　　〈坤卦・卦辭〉確立的是生命之道。「君子有攸往」是君子有一遙遠的目標，正如尼采說的：「使生命艱難些，方是藝術。」攸是遙遠的意思。人注定先天是在迷惑中，當前現實的價值觀已陳舊無力，如「亢龍有悔」，必得上下求索以尋求新的力量。「牝馬」是母馬，安靜柔順而健行，是母性的智慧。在方向上既有遙遠的目標，只有歷經窮途，才會有所收穫；這也是「先迷後得」，我們人生當尋求一些對我們有幫助力量的朋友。如何在短暫的一生中，獲得最大的力量？那也將是最高的智慧！這是〈坤卦・六五〉「黃裳，元吉」所啟迪的智慧。〈六二〉的「直、方、大」真像是商朝為馬和馬車所開闢的「馬路」。

《歸藏》易（《坤、乾》）道的運動示意圖

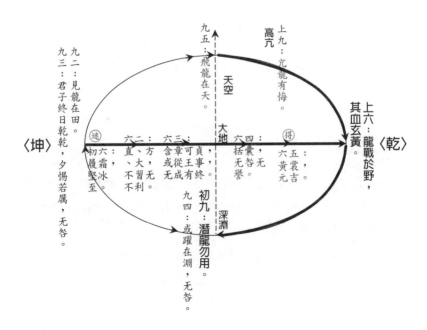

　　《周易》其實孔子只稱《易》，首乾次坤，從〈初九〉的「潛龍」、〈九二〉的「見龍」、〈九三〉的「惕龍」、〈九四〉的「淵龍」、〈九五〉的「飛龍」到〈上九〉的「亢龍」，都取君子乾乾因其時而惕的意思，以龍來象徵君子進德修業的精神人格，是道德哲學。但純以龍的運動來說，「亢龍有悔」應後接「龍戰於野，其血玄黃」，久高亢於天上終必墜落！而「龍戰於野，其血玄黃」是浴血苦戰，其合理的推論接下來應是龍潛深淵，即「潛龍勿用」。無論如何，〈坤卦・上六〉一定要接上〈乾卦・初九〉，龍的運動才能連成一氣。故而〈坤卦〉前五爻的生命智慧學造成道的紀元的轉變，是時間推動了變化，造成以前的價值淪為虛無。再開始〈乾卦〉的道的世紀運動！

　　故而《歸藏》易的首坤次乾的安排才合理！而孔子是見證人，在《禮記》中孔子欲觀殷商之道，而到宋國去，見到《坤乾》，此即《歸藏》易。世上只有一本《易經》，《周易》只是乾坤倒轉而已；**我發現的是商朝的《歸藏》易，商朝的生命哲學。**

餘音

　　《大易》為群經之母，這哲學的沉思屬於先民沉思的智慧，只能在哲學概念上解決。在哲學概念上可以看出《歸藏》易的原始開端，但無法推到夏朝的《連山》易。

　　先天八卦一般來說與中國地貌氣象完全吻合，這是本乎《周易・說卦》，或許是夏朝留下的痕跡；所謂「天地定位，山澤通氣，雷風相薄，水火不相射。」也只能說到這裡。

　　同樣本諸《周易・說卦》的後天八卦，一般說是反映的是自然界和人類社會的真實狀況，所謂：「帝出乎震，齊乎巽，相見乎離，致役乎坤，說言乎兌，戰乎乾，勞乎坎，成言乎艮。萬物出乎震，震，東方也。齊乎巽，巽，東南也。離也者，明也。萬物皆相見，南方之卦也。聖人南面而聽天下，嚮明而治，蓋取諸此也。」

此後天八卦，一般說是文王卦，我看比較像是《歸藏》易的系統。它所列出的方位，如坤位居西南，艮位居東北，正合〈坤卦‧卦辭〉：「西南得朋，東北喪朋。」以〈坤卦〉為主而不是以〈艮卦〉為主。「得朋」、「喪朋」是道的紀元的轉換，坤是大地精神，取代了艮卦所代表的族長權威、禁令。萬物在大地上得到養育，也在大地上需要終身勞苦。雖然上帝出現在驚雷的震動中，萬物也在驚雷的震動中誕生，但現在上帝與所代表的族長權威逐漸失去了力量！在大地上橫向的探索，需要速度與力量。

馬的繁殖成為商朝的頭等大事。但在蘊蓄新的力量當中，牝馬放慢速度，踟躕前進；對可能帶來危險的覺察力，在環境的變化中，輕微的試探與反應。在觀察牝馬的活動現象，商朝人獲得了動物行為的智慧。

〈晉卦‧卦辭〉：「康侯用錫馬蕃庶，晝日三接。」康侯[1]用王所賞賜的良馬來繁殖，一天交配三次。馬的繁殖在商朝是大事，這是人間力量的大躍進。

管子說：「殷人之王，立皂牢，服牛馬，以為民利。」老早就過著定居放牧的生活，皂牢是飼養牛馬的圈欄。農業生產的發展，形成農牧結合的經濟。「相土作乘馬」他馴服野馬駕車運輸，這商族的第三代首領，使商族的武力得以強盛。馬從西北拉來，拉車、運貨、作戰，極不夠用。傳到第七代王亥時「王亥作服牛」，馴服野牛替馬拉車，開創了華商貿易的先河。商朝建立

---

[1]　一般由顧頡剛《古史辨》第三冊〈周易卦爻辭的故事〉說康侯是武王弟康叔，但朱熹認為是安康之侯。我認為是康丁，司馬遷《史記‧殷本紀》誤為「庚丁」，是商朝第 27 位國君（？－前 1147 年），前任國君廩辛之弟。

後被尊為商高祖。

　　《禮記·禮運》記孔子：「吾欲觀殷道，是故之宋，而不足徵也，我得坤乾焉。」鄭玄注：「殷陰陽之書，存者有歸藏。」《坤乾》即《歸藏》易，與《周易》之首乾次坤，在文獻的內容上必無差別，否則孔子定會紀錄。所以《周易》只是將《歸藏》易乾坤顛倒。官府與民間的平行系統，官府收藏的是哲學之書，民間收藏的是結合民俗的占算之書。王家台秦墓中出土的是筮占書籍，災異占或擇日，神話也常是無文字的口傳紀錄，殊其不類。

第二章 《坤乾》： 天與地的戰爭

　　杜威（John Dewey, 1859-1952）說：「最原始的哲學，或會是最好的哲學。」原始的哲學面對生命的多樣性，直接從深沉的感受中說話。我們的《周易》會是我國最原始的哲學嗎？

　　孔子說：「夏禮，吾能言之，杞不足徵也；殷禮，吾能言之，宋不足徵也。文獻不足故也，足則吾能徵之矣。」（《論語·八佾》）孔子搜求禮的文獻，夏朝的文獻要到杞國去，殷商的文獻要到宋國去。他慨歎文獻不足，不足以證明夏朝的、殷商的禮為如何如何！不過另一個版本似較明確，孔子曰：「我欲觀夏道，是故之杞，而不足徵也，吾得《夏時》焉。我欲觀殷道，是故之宋，而不足徵也，吾得《坤乾》焉。」（《禮記·禮運》）這個版本較沒有孔子自信的「吾能言之」；特殊性在於「夏道」在於《夏時》，「殷道」在於《坤乾》。這個版本較具體，比《論語·八佾》的記載更可信。

《夏時》

　　夏朝的文獻不在禮而在夏曆，《尚書·堯典》：「乃命羲

和，欽若昊天，曆象日月星辰，敬授人時。」也就是說看日月星辰的變化，讓人民不要耽誤耕作、收穫的時間。這套春分、夏至、秋分、冬至的農民曆，不就成為夏曆的基礎嗎？一直到商朝的皇帝均以天干——即甲、乙、丙、丁、戊、己、庚、辛、壬、癸來命名，就知這《夏時》是何等大事，要把萬事萬物納入時間的系統，無論占卜、戰爭、狩獵、耕作、嫁娶，甚至萬事萬物的出沒，都有其時間，這一套漫長世代累積經驗所成熟的智慧，在夏朝成熟。尤其「杞人憂天」這句成語，也側面或可說明杞人好觀星象！

太史公曰：「孔子正夏時，學者多傳《夏小正》云。」（《史記·夏本紀》），《夏小正》提及「正月啟蟄，雁北鄉」、「七月秀萑葦，狸子肇肆」等季節性的物候學，生物事件的變化有季節循環的因素。例如「正月：雁飛向北方，雉雞振翼鳴叫（尋求配偶），魚從結冰的水底向上浮，田鼠出洞了，園中看見韭菜長起來，柳樹長出花絮，梅、杏、山桃開花了，農夫們修整耕田起土的農具耒耜等等。二月：到田中去種黍，開如祭鮪（捕魚時刻來到），堇菜長出來，開始採摘堇菜，昆蟲蠢動了，燕子來到了家中作巢，黃鸝開始鳴叫，芸菜也開花了。三月桑樹萌發，楊樹抽枝，螻蛄鳴叫，採摘蘥草，桐樹開花，斑鳩鳴叫。」（節錄）[1]等等，甚至看到天象及星星的出現而開始耕作，也是日月星辰循環出現的記憶。

雖然夏朝的文字還沒有發現，但天象及物候學應活在民間的記憶中。我們只要看現存農民曆中的文字，如宜、忌、諸事不宜

---

[1]　引自孟世凱《夏商史話》（臺北：貫雅，1990），頁93。

等，至少在夏朝，天象、事件、物候等已形成無所不包的大體系。即使沒有現代逐漸積累的繁雜，但《連山》易很難脫出《夏時》的「禁忌」！尤其是族長的權威！佛洛伊德說：「禁忌在它所影響的社會中常變成一種類似法律的程序，而且，通常都具有某些社會目的：例如，為了保護領袖和僧侶們的財產和權威，因而將禁忌附著在他們身上。」[2]這就是族長的權威。不論是否有文字，《連山》易或《夏時》總在人民的記憶裡，到了孔子所見的《夏時》總已是有文字的了。

　　《禮記・禮運》的那段文字具體而特殊，孔子欲觀夏之道、殷之道，而不是「能言」夏之禮、殷之禮！只不過前者易與道家發生聯想，但豈不是正合孔子所說：「志於『道』、據於德、依於仁、遊於藝。」（《論語・述而》）孔子搜求文獻不為「禮」所拘限。夏的後代封於杞，殷的後代封於宋。那麼殷商之道豈非在於《坤乾》？所以孔子搜求文獻，看到《夏時》以為與道無關，看到《坤乾》以為與道無關！殊不知《夏時》是夏朝成熟的智慧，《坤乾》是殷商成熟的智慧。那麼周朝成熟的智慧是什麼呢？《周易》！但《周易》只能是《坤乾》的偷天換日！「古公在豳，還住地穴，其時周人的文化可想而知。遷岐之後，他們開始有宮室、宗廟和城廓了。季歷及其子昌（後來追稱文王）皆與商聯婚，這促進了周人對商文化的接受，也即促進了周人的開化。」[3]周朝真正成熟的是什麼？恐怕是禮樂！孔子說：「興於詩，立於禮，成於樂。」（《論語・泰伯》）詩使人興發，鼓舞

2　佛洛伊德《圖騰與禁忌》（臺北：志文，1975），頁53。
3　張蔭麟《中國上古史綱》（臺北：里仁，1982），頁37。

奮發！詩的感受奠基於夏、商！

《坤乾》

　　孔子以為《坤乾》與《周易》無別，就與殷商之道擦身而過。因為《周易》的〈乾卦〉放在〈坤卦〉之前，致〈坤卦‧上六〉的「龍戰於野，其血玄黃」的龍與〈乾卦〉的龍隔了〈坤卦〉前五爻，不能連為一氣，成為孤龍。這說不通，必須扭轉乾坤，回歸《歸藏》易簡單樸素的面貌。

　　《歸藏》易是萬物歸藏於大地，那是萬物回歸、藏匿於大地，也就是隱蔽狀態，這就有在夏朝物候學的基礎上，萬物的出沒有其時間的循環性。把天象、物象全都整合入對宇宙的沉思，在殷商達到成熟。那麼把〈坤卦〉放在〈乾卦〉之前，是否可以展現「萬物歸藏於大地」的奧義呢？《歸藏》易對著萬物說話，《歸藏》是兩個動詞，回歸和隱蔽，焦點放在大地的橫貫性上。那就是萬物都要回歸、隱蔽於大地！包括天嗎？包括天道！這就是「龍戰於野」的真義，「龍」是天道，「野」是無人的大地！

　　〈坤卦〉的「牝馬」可不能輕輕放過！不僅是陰性和健行而已。馬是大的力量，牝馬是大的力量可以生產出大的力量。「相土作乘馬」、「亥作服牛」就是商人的祖先相土和王亥馴服了牛馬。就是發現了馬和牛的新力量，進入了人類的生活。甚至在傳說中是夏朝的奚仲造了馬車。無論如何，牝馬的生產力在人類的生存與居住中是「創造性」的生產，或者說人與馬共存，人類觀察到馬創造性的生產！馬除了力量之外，還有速度，這改變了人類生活的視野；馬的繁殖，將把力量和速度帶入人類的居住與生

存中。新的紀元！新的力量與速度！新的價值。馬「力」的發現，開展一個新的時代；「牝馬」更代表大規模的蓄養和繁殖！牛是耕作及牛車販貨經商，馬加快販貨經商的速度，也是戎馬及馬車為雙輪戰車。我們要尋索未來的方向，「迷」與「得」總是要離開某些東西，朝向某些東西。「先迷後得」就有了特別的意義，在時間的先後上，我們人生總是先為傳統的習俗價值所迷惑，然後在新紀元的開始發現了新的價值，新的力量與速度。得到的是生命需要創造性的生產力。主要還是在於我們生命的保存、成長與壯大，有利於生命。所以要選擇朋友，結合一些朋友，離開一些朋友，〈坤卦‧卦辭〉只是綜述。

〈初六〉的「履霜，堅冰至。」履：踐踏。是人踐踏，馬踐踏，還是人在馬上、馬踐踏？並沒有說明。但訴諸身體在生理上的感受，由小寒的感覺，在經驗上的綜合判斷，到大寒的可能到來，都是訴諸外在環境對身體造成的影響。〈六二〉以此為基礎，生命的道路成為筆直、方正、廣大，不學習也不會有所不利。生命這就含著內在美好的法則，其實直到「或從王事」，我們才確定〈六三〉爻說的是人或君子，跟隨君王是世間擁有最大的力量的人，而不讓最大的力量危及自身，所以即使沒有成就，也能持續到結束。所以〈初六〉是一條「超乎善與惡」的倫理法則，不是善惡判斷的道德法則。也就是與外在環境遭遇，不使外在環境會減損自己的力量，這就是與外在環境構成力量一關係。即使君王這擁有在人間最大力量的人，不能增加我的力量，但他也不致減損或毀滅我的力量。所以把任何可能減損力量的危險，都視為會損害身體的生理感，以求避免傷害。同樣，在擁有最暴烈力量的人的身旁，也要避免讓他感受到有任何減損力量的危

險，這就是〈六四〉的「括囊，无咎无譽。」人要韜光養晦，以避免災禍，要謹言慎行。不求光榮而造成別人可能的損害，要收束囊口，守口如瓶。

一直到〈六五〉的「黃裳，元吉。」我們才知〈坤卦〉的目標是在力量－關係中不斷地成長，把任何自己生命力量的減損與增加，均視為以身體為基礎的生理感受，期待避免減損，而增加自己生命的力量。直到黃裳──帝王服飾，黃是大地的顏色，黃土，始知〈坤卦〉的目標是要成為擁有最大力量的人！但不必是「黃帝、堯、舜垂衣裳而天下治，蓋取諸乾、坤。」（《周易·繫辭傳》）把黃帝之「黃」帶上，就可帶入「上為衣，下為『裳』」；這裡是〈坤卦〉，在「天玄而地黃」中只有「地黃」，沒有乾天的位置。沒有皇帝之衣，只有皇帝之裳，也是韜光養晦之意。所以從〈坤卦·卦辭〉的人－馬關係中，人在此關係中感受到力量與速度，學習在生命中創造性生產的力量。我們得以產生人－牝馬－君王的三聯畫。人生的實踐之道是力量之道。到「黃裳」為止，將造成翻天覆地的變化，「先迷後得」成為「龍戰於野」。「野」是大地，無人的大地，這是天龍的精義。天龍來自於大地，這是天與地的戰爭！萬物中撞擊出新的變化，新的力量，蘊釀新的紀元，舊的紀元其力量正在消退！

而後始會有〈乾卦·初九〉「潛龍，勿用。」萬物中潛伏著一條有巨大能量的龍，在還沒有確定新紀元的方向前，不要去使用它們！所以「潛龍」是指天道的隱蔽，隱蔽於哪裡？深淵。大地即深淵！有根據時說大地，即桑田；無根據時說深淵，即滄海。「見龍」是指天道的顯現，天道的顯現必定持續一段時間，故而是「飛龍」，天道的彰顯。當天道無力持續時為「亢龍」。

天道的持續有時間的過程。

　　這樣，從「龍戰於野，其血玄黃」開始，就是舊體制、舊價值已然僵化無力，要回歸大地——生活的根據上，所以受傷流血是天與地的戰爭。天龍代表是天道，天道要回歸大地，無論是數種可能性的爭戰，總是流血受傷。故而「龍戰於野」可以與「飛龍在天」作對比。一個在天，一個在無人的大地，這是在時間的過程中所造成的不同空間位置。所以「龍戰於野，其血玄黃」，龍就是道，上天下地，故「天玄而地黃」。「飛龍在天」我們說天道，「龍戰於野」我們說天與地的鬥爭。〈坤卦〉前五爻是地道展現在實踐存有論上的修為。只有當天道已淪落為習俗價值，經由天與地的鬥爭後，天道將完全淪為隱蔽，龍深潛涵養於深淵，這是深潛隱蔽的地道，在深淵。

　　所以「亢龍有悔」時，我們說是「習俗價值」，道已失去原先創發的力量與強度，只是「想當然爾」的習慣！當固定價值被標舉得太高，已失去原有的動力，休姆（David Hume, 1711-1776）的懷疑論促使他「消滅了一切信念和確信」：「我們經驗到常在一塊會合著的那些對象，在別的例證下，也照樣會合在一塊。……不過它也和別的一些本能一樣，也可以是錯誤的、騙人的。」[4]休姆從習慣的結合關係，推翻因果論證，這也就是「亢龍有悔」逐漸無力的原因。另外可能的關係結合，促使我們思考。為何是如此，不是別樣，就逐漸動搖了「安於故常」的根基。尼采甚至說：「最強烈地相信先天（a priori）『真理』對我來說——暫時性的假設；例如因果律，非常良好接受的信

---

[4]　休姆《人類理解研究》（臺北：仰哲，1982），頁156。

仰習慣，已成為我們的一部分，不相信它，將摧毀人類。但它們因此就是真理了嗎？」[5]也就是因果律是我們日常接受的信仰習慣，那也只是為了人類的保存而已，但不能因此被視為真理。就不要再提海德格在基礎存有論中所提到的人云亦云的「閒談」（idle talk），群眾生活中的日常真理，是非本真的（inauthentic）。

〈用九〉是當〈乾卦〉要使用或運用時，其實是要呼應〈初九〉的「潛龍，勿用」。因為萬物都有其神妙的變化，不能以任一者的變化取代所有其他的變化。萬物的多樣性中，也就是差異性，都潛藏者一條龍，這是表現出一切事物均有其神妙變化的潛力。讓萬物的差異性此起彼落出現與回歸，讓一個時代的力量蘊蓄多端而留中不發，勿過分集中在一個方向，故而可以長長久久。宇宙的力量就是多樣變化的力量，也就是沒有首出的力量，這是表現出萬物共存的神奇美妙，而無一事物可以為首，即「見群龍无首，吉」！中國古代的多元主義。

天地

所以《歸藏》易簡單地說是變化，是由萬物歸藏於大地來理解，這樣，天地的意義也格外令人矚目，因為：有天地然後有萬物。如果說自然含有天、地，更重要的是大地。

「但創造的，生產的（poietic）之性質，首先在海德格從自

5　Friedrich Nietzsche "The Will To Power." Walter Kaufman & R. J. Hollingdale trans. (New York: Vintage Books, 1968), p.273.

然（physis）這字所發展的基本特性中揭露。對早期希臘人來說，存有之發生並非『思想』之戰勝，而是一個方式，在此『自然』之『強烈力量』戰勝，像海浪，扯開它們自己的深度，和本身逃入它們，或像大地：發展、培育、劇烈（towering）的強烈力量。對存有如何活動，自然是個基本字。」⁶如果《歸藏》易的「易」是變化，那也就是自然的變化，「存有」的發生就是創造的、生產的，而且是自然的強烈力量戰勝，當「海浪，扯開它們自己的深度」，大海亦即是深淵，不論是像海浪或像大地，自然的活動都是強烈的力量，而且即是大地、大海或深淵。海德格所說的存有（Being），就相當於《歸藏》易所說的變易（Becoming），都可以用自然的變動來解釋。自然就包含天和地。而在海德格的用法中，自然的強烈力量似在大地與大海中，而海浪「扯開它們自己的深度」，也是深淵。也不要忘記大地是有「發展、培育、劇烈」的強烈力量。這就不奇怪在《歸藏》易中，是人與動物（牝馬）共棲於大地的舞臺，牝馬的力量、速度和生產（創造性）也正是大地發展、培育、劇烈的強烈力量。天和地似乎以地為主。

〈乾卦・九五〉「飛龍在天」的天，海德格稱為「世界」。而大地，〈坤卦・初六〉人與牝馬共「履」——踩踏的大地，「直、方、大」是大地的廣闊，〈坤卦〉所呈現的大地精神是隱蔽的「世界」，而「野」是無人的大地，也就是不為人為所操縱的大地區域。故而「龍戰於野」表現的是天與地的戰爭。龍上天

6　Werner Marx "Heidegger and the Tradition." (Evanston: Northwestern Univ., 1971), p.140.

下地，上天時說「飛龍在天」，在地面上是「龍戰於野」，在地面下是龍潛於「淵」，在深淵裡涵養，所謂〈乾卦・初九〉的「潛龍勿用」，再來是〈九二〉「見龍在田」，龍顯現在人類生活的區域中，人類居住的大地。直到〈乾卦・九四〉才說「或躍在淵」，說「或」是不定之詞，對道的新紀元所彰顯的力量還不確定，躍回牠所潛藏的深淵，變易所展現的、道的紀元所有的創造性，就由變幻莫測的龍來表現！龍的上天下地，龍是自然的變易，而自然包括天和地。

　　天和地，海德格說：世界與大地的交戰！「大地不只是被關閉的，而是那作為自我－關閉而昇起。世界和大地是常內在地和基本地在爭鬥中，本性是交戰的。只有這樣，它們才進入澄明（clearing）和隱蔽的爭鬥中。大地突出於世界和世界把自己奠基於大地，至此真理發生於在澄明與隱蔽之間最初的爭鬥中。」[7]世界要奠基於大地，世界才能有其超越性；大地要突出於世界，才能顯出它是真實的力量。關於澄明和隱蔽，澄明屬於世界，隱蔽屬於大地。人和馬踐履於大地，都有身體的感受，而人有先在世界的迷惑，直到在力量、速度和創造新的價值，世界（天）和地在交戰的時刻，先在的價值觀重新墜落到大地，故「龍戰於野」是交戰的時刻！但龍在澄明（天，世界）和隱蔽（大地，深淵）之間，無論是「飛龍在天」或「潛龍在淵」，這只是道紀，道的紀元。「潛龍」深潛在淵，將開展新的紀元。

　　一般人所持的價值觀是超越性習以為常的時刻，也安於故

7　Martin Heidegger "Poetry, Language, Thought." Albert Hofstadter trans. (New York: Harper & Row, 1971), p.55.

常，也就是變易之道在澄明之時刻，那就是「飛龍在天」。一切均明晰地呈現，意義如此穩定。但《歸藏》易提醒：龍有「深潛在淵」的時刻。「德里達定義它（延異）（difference）為『使被呈現的呈現可能』，而且是『那未呈現者』『從未提供給呈現』和『保留自己，不揭露自己』只有作為在任何出現（appearance）中消失的才可思考，即出現本身，它在出現的存有消失而在被呈現中撤回。」[8]這就是彰顯與隱蔽的運動，德里達看來是看重「在被呈現中撤回」，也就是看重隱蔽，更甚於彰顯，這就是在〈乾卦〉中〈九二〉「見龍在田」到〈九四〉又「或躍在淵」，在生活區域中的易道可被看見，被彰顯，而在深淵中的易道是隱蔽著的。在《歸藏》易中又很可以用天和地來表現彰顯和隱蔽，至於彰顯和隱蔽的雙重運動，天和地的鬥爭，就用「龍戰於野」來表現！「野」是無人生活的區域，並不給人文主義留餘地。

思考《歸藏》易，必須以〈坤〉、〈乾〉各爻的進展為一基礎模型。〈坤〉為地，前三爻顯示了人生行路要小心謹慎，先確定由微知漸的智慧，人生的道路才是平直、方正、廣大。不過既然〈坤卦·卦辭〉是「利牝馬貞」，人實踐的生命是以「牝馬」的生命作為規準，或者「變形」（metamorphorsis）進入與牝馬不可辨明的地帶，那就是在祇有一次的生命裡，要有馬的力量和速度，在最快的速度中獲得最大的力量，見微知著是保存生命的要件。另外，還要有創造性的生產力，牝馬是生育力，[9]人生要

---

8 Ferry and Renaut "French Philosophy of the Sixties." (Amherst: Massachusetts Univ., 1990), p.129.

9 「講大地，首提牝馬。牝馬是繁殖馬群的。」李鏡池《周易通義》（北京：新華，1981），頁5。

有創造性的生產力。如果「履霜，堅冰至」首先是對牝馬的動物行為的觀察。懷孕的牝馬為何在「履霜」時放慢了腳步？牠知道朝此方向行去，將遇到堅冰！這將不利於牝馬所孕育的新生命。觀察動物行為的實踐智慧，成為人的可參照的生活模式，為實踐智慧奠基。是人和牝馬無可辨明的地帶。〈六三〉的「或從王事」已是跟隨著人間最有力量的人學習做事，從人與馬不可辨明的「履霜，堅冰至」的實踐智慧，已至〈六四〉人在小心謹慎的實踐修為「括囊，无咎无譽」！收束起囊口，不要犯下任何災禍足以傷害性命，也不求得任何額外的榮譽。故而〈坤卦〉後三爻「較佳」，直到自己成為最有力量的人，足以創造新的力量的存有論，以改變易道的紀元。在新舊更替的時刻，大地的力量升起，足以更新舊有、僵化的力量，這是「龍戰於野」的非凡時刻。人間需要非凡的創造力量。

〈乾卦〉前三爻在「淵」與「田」之間開展易道的紀元，君子在易道的紀元開始剛健勃發，前三爻較佳。至於後三爻也是易道的開展的運動，因為有君子的剛健勃發，易道的再回歸隱沒，也不會有任何災禍。但「飛龍在天」的時刻也是向「亢龍有悔」轉移的時刻。持續的力量已逐漸慢慢衰落！

〈坤〉、〈乾〉兩卦的吉凶要以〈天地否〉和〈地天泰〉來衡量。〈坤〉、〈乾〉兩卦也要各分上、下兩卦，如果〈坤〉體是在上卦如〈地天泰〉就較吉祥，在下卦如〈天地否〉就較艱難阻行。同樣如果〈乾〉體是在下卦如〈地天泰〉就較吉祥，在上卦如〈天地否〉就較僵化無力。〈坤卦〉在上卦猶如〈坤〉體行於〈乾〉天，〈乾〉卦在下卦是〈乾〉體行於〈坤〉地，應吉無不利。

　　〈坤〉、〈乾〉決定了中國式存有的紀元，從實踐存有論到創造式的力量存有論，直至「龍戰於野」，再開始新的紀元。

牝馬之變

　　尤其「牝馬」，〈坤卦〉所謂的「利牝馬貞」恐也是《歸藏》易的主軸，〈坤〉是大地，大地原是母性。〈初六〉的「履霜，堅冰至」首先只看牝馬；也可以是人馬在身體上共通的感受。至少到〈六二〉的「直、方、大；不習，无不利。」也就是大地平直、方正、廣大，這也是人馬共有的；真像商朝開關的「馬路」，新生活的感受。所以「不習」是以「履霜，堅冰至」細微、精巧的感受為基礎，即使沒有更多的學習，也沒有什麼不吉利。大地是人馬共享的空間！

　　當牝馬帶著自然的野性進入了人類的視野，並非「順從」兩個字可以解釋。對《歸藏》易來說，是全新的道的紀元的認識，是「夏時」的例外，是農業耕作時間的例外。當牝馬首先在萬物中被標舉，進入人類的居住，這也就被視為人與萬物共生的非人文主義的範例，不要忘記《歸藏》易是萬物歸藏於大地，是對著萬物說話的！牝馬是以其自然的野性進入人類的居住，人履霜還是馬履霜？是人類生活的實踐還是生態觀察？在身體共通的生理感受模式下，影響到了心理，而推知可能到來的、對身體造成威脅的前景。由馬的「履霜」，而到人所領會的行動模式，是「括囊，无咎无譽」。

　　《世本‧作篇》：「相土作乘馬。」相土為第三代商族首領，馴服野馬作為乘馬之事，是先商時期的第一個高峰期。《詩

經‧商頌》：「相土烈烈，海外有截。」（海外說是朝鮮）相土
因此聲名赫赫，蠻荒之地也聽從他的指揮。故而耕田的馬，是力
量，與耕田的牛一樣。乘馬是力量以外加上了速度。但是「在耕
田的馬或拉曳的馬和競賽的馬之間的差異，比起牛和耕田的馬之
間的差異更大。」[10]拉曳的馬可以拉馬車，馬車可以是戰車，對
速度的要求比耕馬大；競賽的馬也可以是戰馬，速度更快。不過
在〈坤卦〉中這些都只能做為力量和速度而進入人類的居住中，
牝馬是母馬是有生產性的。這些也只能以最快的速度獲得最大的
力量來解釋，而人類的生命要有創造性的生產力。故而人進入了
人與馬之間不可辨明的地帶，這是德勒茲（Gilles Deleuze, 1925-
1995）變成動物（becoming animal）的範例，變形
（metamorphosis）或物化（thinging），即變成母馬（becoming
mare）。「你變成－動物，只有以不論任何方式或要素，你放射
出微粒子進入動物粒子的運動與休息的關係，或這也是相同的，
進入了動物分子的鄰近地帶。」[11]母馬的動物分子將分裂生產出
新的生命，人類的生命本身要分裂生產出新的生命，這是創造性
的生命。這是生命本身的戰爭，在力量與速度中不斷超越自己，
直到成為創造性的生命。

　　也許〈六三〉「或從王事」含有商朝先為夏朝方國的意思，
但也化入人生歷程中，故「王」不限於現實政治，故雖「黃裳，
元吉！」，但到〈乾卦‧用九〉時就「見群龍无首，吉。」故人

10　Gilles Deleuze "Spinoza: Practical Philosophy." Robert Hurley trans. (San Francisco: City light, 1988), p.124.

11　Gilles Deleuze & Félix Guattari "A Thousand Plateaus: Capitalism and Schizophrenia." Brian Massumi trans, (London: Continuum, 2004), p.333.

的變成為馬正是完成了生命的變化，而且是牝馬。

　　至於上六一爻爻辭「龍戰於野，其血玄黃。」分明是在生命的智慧：在短暫的生命中，成就最大的力量。由〈坤卦〉卦辭的「牝馬」到「龍」是怎樣的轉換？當馬進入到人類的居住，對人類的啟示是懷育著未來生命的希望，小心謹慎保全自己的生命，在力量和速度中完成自己。生命經驗的結晶成為智慧。在〈坤卦〉的生命哲學中，完成的是價值的轉換，迥然異於農業的「田」，而是「馬路」。那麼〈上六〉的「龍」，就不是人格或君子進德修業的象徵，而是存有紀元的轉換，必有時間的過渡。存有紀元（epoch）的轉換總在生活的大地之上完成，由「三代以上」天上的星象學、四方物候學，到夏朝的農業在田，到商朝的商業在馬路上，這都是所謂的「龍戰於野」。那就是存有的紀元是價值的轉換，也是時間意義的轉換。星象學與物候學是將時間的發生相應於事物的發生，農業是等待時間的成熟，也是植物的成熟或昆蟲生命樣態由蠶的結蛹到蠶絲的轉換。至於當生產過剩轉換為手工的商品，手工形成的農業加工品要在速度的要求下行銷各地，時間的速度裡看到商品多樣的變換，我們的絲織品在各國加速流通，故「馬路」就形成為「絲路」。但商朝國家的發展，雖然得力於馬的速度與力量，但為得到速度與力量，卻在動物行為的觀察中，牝馬的「放慢速度」引起了商朝人智慧的沉思，動物的智慧進入了人類的居住。西周人文主義興起，不該抹滅動物行為的智慧！西周只是巧妙地，把《歸藏》易的首〈坤〉改成首〈乾〉，就成為《周易》！大地精神成為崇高的人格，成為道德的學問。《歸藏》易的地道轉向《周易》的天道。

　　顧炎武《日知錄》中說：「三代以上，人人皆知天文。」合

理的推論，夏時仍不脫部落聯盟的模式，孔子所見的《夏時》即農曆，是奠基在「三代以上」星象學和物候學的發展，至夏代成熟。也就是說：「三代以上」成熟的是星象學和物候學，夏代成熟的是農業及農曆。當時雖無文字記載留下，至少是口頭語言；而且依孔子所見在周朝以金文紀錄下來。商朝的金文和甲骨文已是成熟的文字，夏朝也理應有發展的過程。

　　同樣，觀察到桑葉與蠶的關係必定在夏朝已開始將蠶絲製成絲綢運銷的商業行為，商代也以之為國家生存的範式，將絲綢運銷各地。當馬脫離了農業的用途，除了力量以外，其速度已進入人類的生活中。結合青銅器的發明，戰爭的馬，牛車、馬車的發明，甚至有了「馬路」。商人如何將經濟學運用到自己的生存模式中，以成就生命的智慧？如何在短暫的一生中以成就最有力量的人？這種道的紀元隨著在萬物中力量的展現而有進展！

第三章　八卦：
天、地、水、火、雷、風、山、澤

　　〈坤〉字帛書本為川，漢碑、石經均作川，大地、川流其義一也。匯川成海，這就解釋了大地與大海（深淵）的關係，這是〈坤〉與水的關係密切，〈坎〉卦屬於〈坤〉體。乾坤就是天地，天與火的關係，祇要抬頭看看太陽便清楚了！〈離〉卦屬於〈乾〉體。

　　我們要以常識推翻《周易·說卦》的胡說！「乾，天也，故稱乎父。坤，地也，故稱乎母。震，一索而得男，故謂之長男。巽，一索而得女，故謂之長女。坎，再索而得男，故謂之中男。離，再索而得女，故謂之中女。艮，三索而得男，故謂之少男。兌，三索而得女，故謂之少女。」這是機械的比附！以〈坤〉來說，〈坎〉以二陰爻包圍一陽爻必為長女，如〈水地比〉；以〈乾〉來說，〈離〉以二陽爻包圍一陰爻則必為長子，如〈天火同人〉。再來是由上而下，〈兌〉是中女，〈兌〉澤（湖泊）與〈坎〉水的關係近；〈艮〉是中男，〈艮〉山與〈離〉火的關係近。〈巽〉為風，是少女；〈震〉為雷，是少男。這也就是說〈坎〉、〈艮〉、〈巽〉俱為〈坤〉體大地，〈離〉、〈艮〉、〈震〉俱為〈乾〉體天道。故而《歸藏·上經》以〈坤〉、

〈乾〉始，以〈坎〉、〈離〉終，也就是說地、天、水、火。

地、天、水、火

　　印度認為整個物質世界的宇宙歸結為四大元素：地、水、火、風。希臘哲學之父泰利斯（Thales）認為：「世界的實在不是人，而是水。」尼采評論道：「至少就他相信水而言，他開始相信自然了。」[1]甚至赫拉克利圖斯（Heraclitus, B.535-B.475）認為火是萬物的本原，是創世的力量。「『世界是天神宙斯的遊戲』，或者，用更具體的方式表述：『是火的自我遊戲……』」（同上，頁 63），故視火為宇宙基本元素。水和火均可視為自然的基本元素。雖然以火為主要元素，但他也認為「火借蒸發的氣體得以保持，土和火分別由水分離而來。」（同上，頁 65）那麼把赫利克拉圖斯的火的基本元素稍稍放寬一些，就有地（土）、水、火、風（氣體）四種基本元素，和印度的基本元素殊無二致。

　　中國是地、天、水、火四個宇宙基本元素，地是現實性，天是超越性，水是降低，火是升高。地和水為一組，天和火為一組。如果在《歸藏》易中，以〈坤〉為首，那麼〈乾〉天的超越性要附屬於〈坤〉地的現實性，由〈坤〉的基本存有論或實踐存有論拓展到力量存有論，由〈坤・上六〉到〈乾〉卦的存有論。如果是《周易》以〈乾〉為首，那就是〈坤〉地的現實性附屬於〈乾〉天的超越性，一套道德形上學。

---

[1]　尼采《希臘悲劇時代的哲學》（北京：商務，1994），頁 31。

　　就風的歸屬而言，後來老子是定於天地之間，「天地之間，其猶橐籥乎？虛而不屈動而愈出。」（〈第五章〉）橐籥作「鼓風箱」解，則是空虛不彎曲，動蕩而愈出風來。至於莊子則是屬於大地的一組，「大塊噫氣，其名為風。」（〈齊物論〉）風是大地吹了一口氣！這些基本元素到最後常等於基本概念，在概念思惟上展開對宇宙人生的動態展現，那麼《歸藏》易的「萬物的歸藏於大地」，是重於大地的隱蔽性，而且是對著萬物說話。《周易》是天道的超越性，而且對著君子的進德修業說話。老子是「上善若水，水善利萬物而不居。」（〈第八章〉）那麼老子由水的元素以見道。莊子是「大塊噫氣，其名為風。」那麼莊子是由風的元素以見道。那麼在大地這組中，〈坎〉水、〈兌〉澤是相近的，連帶〈巽〉風可以列成一組；那麼天的這組中，就有〈離〉火、〈艮〉山和〈震〉雷。

　　我們一開始就說天與火為一組！〈艮〉山就比較特別，因為《連山》易首艮。山之出雲，連綿不絕，星象與物候的交織，多部落聯盟國所成熟的是天象與農事相配合的夏曆，這就是孔子在《禮記・禮運》所說的，「吾得《夏時》焉。」有宜有忌，尤其是族長權威的禁忌。母性的智慧對抗族長的權威，智慧的力量代替命令與禁忌；這是《歸藏》易首〈坤〉取代《連山》易首〈艮〉，也就是大地的廣度取代了山的高度。更進一步說，就是以智慧語言取代命令語言；至於說《周易》是以道德語言取代智慧語言，某種程度是命令語言的復辟。如何由禁止造成智慧？〈艮〉山在《歸藏》易裡如果是在上卦，就成為要打倒的族長的權威，在下卦就成為藏匿、隱蔽。這也符合我們由〈天地否〉和〈地天泰〉來斷吉凶，大地不是僵化順從的大地，而是動態活潑

的生機，必須向上升起；也就是上卦必須為大地坤體，下卦為天
道乾體。這迥然不同於《周易》的〈山水蒙〉，在《周易》中成
為山高高在上的姿態，尤其是《易傳‧象辭》曰：「山下出泉，
蒙，君子以果行育德。」山成為象徵君子的人格高度，在這種高
度下流出滋潤人心的清涼泉水，這是啟發蒙昧，君子以成熟的行
為（果行）來培育德行。以君子的人格高度來替代《連山》易的
族長的權威，就有點是《連山》易的復辟。

雷的元素

　　至於雷，如果是〈震為雷〉，我們很明顯看出在〈初九〉爻
辭：「震來虩虩，後笑言啞啞」中比〈卦辭〉的統觀：「震來虩
虩，笑言啞啞，震驚百里，不喪匕鬯。」多了一個時間先後的
「後」字，驚雷響動，雷霆萬鈞，百里內人心皆驚恐駭懼，但是
有人連酒勺子的酒都未灑落一丁點，可見內心平靜。〈初九〉是
時間的進程，有大自然的威力在心裡的影響，這個「後」字就很
像是康德（Immanuel Kant, 1724-1804）在《判斷力批判》中所描
寫的崇高美（sublime）：「陡峭的、突出的帶著威脅性的斷
岩，雲層層堆疊著在天空中，挾帶著閃電和轟鳴，火山摧毀的暴
烈，颶風毀壞的痕跡，無邊界的海洋在喧囂的狀態……我們欣然
地稱這些對象崇高，因為它們把靈魂的能力高舉到習慣的高度之
上……。」[2]雷電、火山、颶風、喧囂的海洋，這些都是大自然

---

[2] Immanuel Kant "Critique of Judgement." J. H. Bernard trans. (London: Macmillan, 1914), p.125.

的威力，但在震懾於大自然的威力之餘，起初是感覺到被大自然威力所威脅的生命的脆弱與渺小，但正是這些痛苦使逐漸復蘇的生命開始感受到愉悅。「崇高使我們面對在想像力和理性之間的直接的主觀關係。但這種關係首先是不一致，而不是一致。在理性的要求和想像力的力量間經驗到矛盾。這是為何想像力看來失去了自由，而崇高感看來是痛苦而非快樂，但在不一致的底部出現了一致；痛苦使得快樂可能。」[3]但為何「在不一致的底部出現了一致」？簡單地說，這就是我們生命力的自然，在受到大自然力量的震驚之後，由於有一安全的距離，使得生命力也逐漸復甦，這就是在《歸藏》易的「後」所表示的時間過程，在痛苦中逐漸感受到生命力的復甦而逐漸擴張，「靈魂的能力」超過了「習慣的高度」。但《歸藏》易較少措意在所謂「想像力」和「理性」之間的「不一致」，而是在生命力被阻扼的脆弱和渺小，和隨後的復蘇與擴張。

我們的生命也是自然的生命力，所以尼采乾脆從自己的生命出發，與閃電相應！在一首〈松樹和閃電〉[4]中：

> 我昇起，於人之上，於獸之上；
> 若我言語，無人予我以回聲。
> 我長得太高，太孤獨
> 我守候，可是啊，守候什麼？
> 雲之寓居距我的頭額太近，

---

[3] Gilles Deleuze "Kant's Critical Philosophy." (U.S.: Minnesota Univ., 1990), p.51.

[4] 胡品清《現代文學散論》（臺北：傳記文學，1971），頁 89。

我守候第一個閃電。

「松樹」乾脆以「我」取代，尼采像是康德崇高美學的完成者；守候閃電，直到自己成為「濃雲中的閃電」！「我教你們做超人，他就是這閃電，他就是這瘋狂！」超人就是閃電，「必要用響雷和天火（heavenly fireworks），向鬆弛和沉睡的知覺宣講。」[5]尼采以閃電表現自渾沌中爆發的生命力。

德勒茲則說是「黑暗前體」（the dark precursors），他是以雷電說明：「雷電爆炸在不同的強度之間，但它們是由不可見的、不可知覺的黑暗前體在先，那預先決定了它們的路徑，但相反，好像是凹刻（intagliated）。同樣每一系統包含它的黑暗前體，保證了周邊系列的溝通。」[6]好像正是以客觀中的自然系列來描寫主觀中的內在系列。內容與形式正相反，成為「凹刻」；但並非省略，內容含有「周邊系列的溝通」。內容是濃雲，形式是閃電；這好像是以自然系列來描寫人的內在系列產生語言的狀況。由無規則的形成了規則，這是內容與形式的相反。如果尼采像是將自然系列，收攝到人性的內在系列，德勒茲則更像是自然系列和人性的內在系列相平行。

巴什拉（Gaston Bachelard, 1884-1963）在研究物質的想像時，說：「人們並沒有意識到夢幻尤其是一種物質的模擬的生活，一種深深扎根在物質的本原的生活……緊繫著無意識的那東

---

5   Nietzsche "The Portable Nietzsche." trans. Walter Kaufman (U.S.A.: Princeton Univ., 1963), p.205.

6   Gilles Deleuze "Difference and Repetition" trans. Paul Patton (New York: Columbia Univ., 1994), p.119.

西，在形象的領域裡迫使無意識接受一種有活力的法則的那東西，正是在物質本原深處的那種生命力。」[7]巴什拉這位法國新認識論的思想家顯然受了現象學及精神分析學（卡爾·榮格）的影響，認為夢幻是一種生活，模擬物質，深深扎根在物質本原；無意識的活力，正是物質本原深處的生命力。巴什拉特別之處，在於《水與夢──論物質的想像》、《火的精神分析》這些著作中涉及了作為物質本原的自然的元素，當人與自然共棲，自然的多樣性就化約成幾個基本元素，就成為人的元素思考。那麼印度的地（土）、水、火、風都成為這樣的元素，人與自然的共棲，就成為人對元素的沉思。

風的元素

我們似未說到「風」，這稍牽涉到商朝開國神話。《詩經·商頌·玄鳥》：「天命玄鳥，降而生商。」玄鳥是什麼鳥？在《離騷》中「望瑤臺之偃蹇兮，見有娀之佚女。……鳳凰既受遺兮，恐高辛之先我。」看有娀氏美女在華麗的玉臺上……鳳凰已接受託聘，恐怕高辛趕在我前面了。故而「在古人眼中，鳳凰就是玄鳥。」[8]這個結論相當精采。《說文》：「鳳，神鳥也。」「……翱翔四海之外，……暮宿風穴，見則天下大安寧。」《禽經》說：「鳳禽，鳶類。越人曰風伯。飛翔，則天大風。」故而很容易下結論：鳳鳥即風鳥。風的元素也就與商朝開國神話有

---

[7]　巴什拉《水與夢──論物質的想像》，顧嘉琛譯（長沙：嶽麓，2005），頁85。

[8]　何新《諸神的起源》（臺北：木鐸，1987），頁99。

關！

　　殷商的後代被周封於宋！「孔子宋人，其先亦貴族，避難至魯。」[9]孔子是宋人，無怪乎孔子言：「我欲觀殷道，是故之宋，而不足徵也，吾得《坤乾》焉。」孔子欲觀殷商之道，分別記於《禮記・禮運》及《孔子世家・問禮》，只不過孔子以「周禮盡在魯矣」的「問禮」眼光，錯過了《坤、乾》不同排列方式的奧義。另外，《史記》說莊子是「蒙人」，「莊子出生時，蒙地還是宋的版圖，但當莊子去世後，宋地已被楚、魏、齊瓜分了。所以朱子說：『莊子自是楚人。』」[10]無論莊子是宋人還是楚人，在〈人間世〉中楚狂接輿唱的還是「鳳兮鳳兮，何如德之衰也。」溯其源，還是要從宋國溯回商朝的開國神話！而且《莊子・逍遙遊》開篇的「大鵬」，還是古鳳字，鳳鳥的神話，風的元素，甚至在〈齊物論〉中：「大塊噫氣，其名為風。」不論風的元素在莊子哲學中多重要，但在《歸藏》易中，風是作為八個元素之一。

六十四卦

　　元素是結晶，人與自然的共棲，人與自然均在變化，就成為人對八個元素的沉思；八個元素中兩兩相交，則成六十四卦，故兩兩相交，以促成變化。但原則上也是除兩個元素合成一卦外，不能再在上下卦中又另外合成別卦，使兩卦成為四卦，或在兩爻

9　錢穆《國史大綱 上》（臺北：臺灣商務，1990），頁 69。
10　黃錦鋐《新譯莊子讀本》（臺北：三民，1989），頁 2-3。

發現別卦的半象，這是妨礙原始直覺的智慧。兩個元素合成，在初爻到上爻的進行間，下卦到上卦的變動情境的轉換已夠複雜，不需別卦。

　　朝六十四卦的推進，是否可以依〈坤〉為實踐之道（實踐的存有論）來說〈上經〉是實踐之道，以及依〈乾〉為天道（存有論）來說〈下經〉是展現天道新紀元？現在是推論《歸藏》易，但《周易》的〈上經〉及〈下經〉的區分或應有其模型！「〈上經〉是由天地以寓人事，〈下經〉是因人事以明天地之道，所以必分〈上、下經〉者，〈上經〉以象先天，〈下經〉以象後天，〈上經〉始〈乾〉、〈坤〉而終〈坎〉、〈離〉者，祖先天之意也。〈下經〉始咸恆而終於〈既、未濟〉者，《周易》序六子之意也。自〈屯〉、〈蒙〉而〈同人〉、〈大有〉凡十二卦，而後六子備。」[11]這個模式是依〈乾〉、〈坤〉為天、地，而終於〈坎〉、〈離〉為水、火。這是由天地以寓人事。而〈下經〉依〈澤山咸〉、〈雷風恆〉起，這樣，〈上經〉似天、地、水、火為主，〈下經〉則雷、風、山、澤為主。〈上經〉、〈下經〉則各以四元素為主。而〈下經〉首〈咸〉、〈恆〉，人心的感受如何綿延久遠，也似由人事以寓天地。這個模式雖說《周易》是依〈乾〉、〈坤〉的天、地序，亦不礙《歸藏》易之地、天序。

　　上文後段：〈下經〉始於〈澤山咸〉、〈雷風恆〉，而終於〈水火既濟〉、〈火水未濟〉者，籠統地說，雷、風、山、澤、水、火六子皆備。但自〈水雷屯〉、〈山水蒙〉而至〈天火同人〉、〈火天大有〉凡十二卦而說「六子備」，也是籠統地說。

---

[11]　黃澤《易學濫觴》（臺北：老古，1994），頁7。

因為〈水雷屯〉、〈山水蒙〉、〈水天需〉、〈天水訟〉、〈地水師〉、〈水地比〉是在〈坤為地〉、〈乾為天〉以後六卦，均含水元素。可見水元素受到強調，在地、天以外最重，也符合〈坤〉在〈漢碑〉、〈石經〉被解作「川」的意思。大地、深淵（大海）其義一也，大地（有根據）是道的紀元將延續，展開一段時間；深淵（無根據）是道的紀元歸於隱沒，以等待開展一個新的紀元。

桑林

商湯「禱於桑林」的故事，是天旱求雨，「下了雨，旱災解除，人民就用歌唱來頌揚湯的德行。湯就命伊尹將這些歌詞收集起來編了樂曲，取名為『桑林』。」[12]即使注意到「久旱不雨」，也要注意到「桑林」！為何是桑林？「我國古代在世界上被譽為『絲綢之國』，早在三千年前的商代就奠定了基礎。」（同上，頁 250）也就是說桑葉可以養蠶吐絲，桑樹成為最重要的經濟作物。除了絲綢之外，「我們從史料中發現伏羲帝曾發明過一種絲弦樂器。蠶絲很快又被用作魚網線、弓弦以及各種繩索。西方一無所知的繰絲下腳料，即廢絲綿，則可以用來充作冬裝棉絮……」[13]這都說明絲在中國經濟、貿易上所能佔有的分量。

商的後代被周封於宋，桑林的重要性直到宋國人莊子在記述

12　孟世凱《夏商史話》（臺北：貫雅，1990），頁 250。

13　法‧布爾努瓦《絲綢之路》，耿昇譯（濟南：山東畫報，2001），頁5。

「庖丁解牛」的故事還提及。商湯「禱於桑林」，故桑林與蠶絲可以是夏朝農業時代成熟的經濟作物。而「禱於桑林」本就是郊社之禮祭天祭地的情況！故而庖丁之為文惠君解牛，庖丁是作為國家藝術家的身分，否則不會是國君觀賞，而殺牛可以充作藝術表演，而且是以犧牛的身分重演或模仿「禱於桑林」，故莊子說庖丁解牛「合乎桑林之舞」。

牝馬

商朝重要的發展，是馬，而且是「牝馬」。「相土作乘馬」，就是商民族的第三代首領相土馴養馬作為運載工具，「相土佐夏，功著於商。」（《史記・殷本紀》）而在甲骨文中「貞肇馬左右中人三百」三個騎兵百人隊成為商代騎兵編制。以致於殷墟「騎兵墓」的發現，戰馬蕭蕭，除了豪華馬車，也有騎兵的乘騎之馬。馬除了拉戰車之外，馬車的運載商品就與商業結合，馬的進入人類生活，是商朝力量的來源。

所以在《歸藏》易中〈坤卦・卦辭〉：「利牝馬貞」，馬的繁殖、生產已成為商朝大事！並且，「先迷後得」難辨人馬，大地成為人、馬共同生活的界域，甚至共同的「經驗」，所謂「老馬識途」！那麼〈初六〉的「履霜，堅冰至」也是人馬難以辨明的地帶中所產生的經驗的智慧。馬的力量、速度，加上創造性的生產，已使人進入「變成－牝馬」（becoming-mare），可以達到最滿溢的生命力。這像是德勒茲變成－女人（在變形中最為基本）和變成－動物的合體，在變成－動物上就遇到群集的聯盟——「朋」，人向馬的變形，馬－人，「以此個體必然成就一個

聯盟，為了變成－動物。」[14]這就是〈卦辭〉中的「西南得朋，東北喪朋」！坤卦在西南方位，母系社會；艮卦在東北方位，族長權威。或許還有「朋」與「鵬」的親密關係，「鵬」為古鳳字，來暗示與商的創國神話的聯結，所謂「天命玄鳥，降而生商。」（《詩經·商頌》）

　　人的變成－馬，馬－人的「履霜，堅冰至！」使大地成為「馬路」：〈六二〉：「直、方、大，不習无不利。」然後「履霜，堅冰至！」始得以轉化為「人的」「含章，可貞。」此即〈六三·爻辭〉，人內含美好的形式！〈六三·爻辭〉後半段「或從王事，无成有終。」「或」當然是機緣，不定之辭，此「王」所堅守者仍是「先迷」之舊價值，但以「履霜，堅冰至！」的謹小慎微，視「言」與「行」均有可能遭至身體的損傷之危，以「從王事」，即使沒有成就，只要謹言慎行，也能持續到終局。始得以悟出〈六四〉「括囊，无咎无譽。」僅是收束佳囊口，保全生命為第一義，沒有任何災禍，也不求任何榮譽。人的韜光養晦，是因內孕一種生命的創造性，要在短暫的生命之旅中，如何在最快的速度達到最大的力量，以創新世界的景觀？大地的馬－人成為〈六五〉「黃裳，元吉！」的王！

　　當我們把〈坤卦〉視為實踐之道，是在海德格《存有與時間》之基礎存有論的基礎上，而〈坤卦〉含有「人生在世」的倫理展示，在人－馬共生的界域上展現共有的可能的生命模式，人應由此而思力量、速度以及經驗的智慧。

---

[14]　Gill Deleuze and Félix Guattari "A Thousand Plateaus: Capitalism and Schizophrenia," trans. Brian Massumi (London: Continuum, 2004), p.268.

龍

　　大地的實踐之道由馬開始，在〈上六·爻辭〉「龍戰於野，其血玄黃」展現由大地之道（橫貫性）向天道（縱貫性）的過渡，也就是由「先迷」的價值到「後得」的價值的轉換，這是由舊王到新王來展示道的紀元的變化。「野」是大地，無人的大地，天龍來自大地。天龍戰於大地，表示先前價值衰落！也有可能是幾種可能性的纏鬥，天龍流出的血，玄黃色雜，天玄而地黃。在新舊紀元接替的過程中，這是強壯的虛無主義！故化為一種戰鬥的過程。

　　《歸藏》易是智慧之書，《周易》及《易傳》是道德之書。智慧中有其倫理，道德中亦有其智慧；前者有生活的廣度，後者有超越性的高度。在《歸藏》易說，龍是（人與）萬物潛藏的可能力量！在《周易》及《易傳》說，龍是君子人格的精神象徵！傳統上對龍的說法或觀念，只是本能的信念。

　　《說文解字》：「龍：鱗蟲之長，能幽能明，能細能巨，能短能長。春分而登天，秋分而潛淵。」鱗是魚類的總稱，而蟲是古代對動物的總稱，如老虎稱為「大蟲」，蛇稱為「長蟲」。龍是一切動物的頭目、首領或領導者。龍的形體能變化，能隱蔽能顯明，依視覺的看不見、看得見而定。又能細小，能巨大；能短小，能長大。總之是能小能大，是總括一切生物的變化。春分時成為天龍，秋分時成為潛龍，潛藏深淵。如果涉及「春分」、「秋分」這麼精確的二十四節氣中的時間，就很難不令人想起農業的播種和收穫，那麼龍也是一切植物之長，龍就成為一切生物的生命力。龍的變形，從隱蔽中出現，從出現中又回歸隱蔽，能

小能大，正是萬物可能的生命力，潛藏的力量。這合於《歸藏》易，而不合於《周易》（及《易傳》）；故《歸藏》易是萬物之道，這也合乎《說文解字》所釋的「龍」字，而不合乎《周易》的君子之道。龍「是對一系列相互關聯的自然現象──水、雲、雨、太陽所作出的功能性解釋，這種功能性解釋被本體化為一種有生命的靈物，這就是『龍』。而龍的原始意象，又是來自雲的形象。」[15]也是《易傳·乾卦·文言》：「雲從龍，風從虎。」來解釋「飛龍在天」之飛龍乃是雲龍。不過龍基本上是「潛龍在淵」，與水的關係最為密切。四正卦在〈上經〉中是地、天、水、火；在八卦中亦無雲。雲的原形是水，例如〈水雷屯〉中，《易傳·屯卦·大象》是「雲雷屯，君子以經綸。」正是以雲為水，〈水天需〉中《易傳·需卦·大象》也說：「雲上於天，需，君子以飲食宴樂。」也是以雲為水，其實雲正是水上於天，成天上的水！

　　〈坤卦〉牝馬是生命哲學的開展！而後才有〈上六〉之新舊交替之除舊布新，〈乾卦〉之龍是道之紀元的新開展！

15　何新《諸神的起源》（臺北：木鐸，1987），頁89。

第四章　〈坤〉、〈乾〉

坤為地（卦一）

（地上地下）坤。元亨。利牝（ㄆㄧㄣˋ）馬之貞。君子有攸往，先迷後得，主利。西南得朋，東北喪朋。安貞吉。

　　坤卦是大地之卦，源頭是亨通的。利於母馬的貞定自己：母馬會生產，有創造性，馬是健行，敏於實踐。君子有所（攸：處所，地方）往，要定立自己的方向。我們人生有先在的迷惑，所謂「習俗價值」。要從「先迷」中翻轉非本真的（inauthentic），建立實踐的存有論，即實踐的智慧學，才能有「後得」的價值！翻轉出本真的價值，這就是創造性，這有時間性的翻轉的經驗過程，有利於生命。在選定的方向上總要肯定大地（〈坤卦〉在西南方位）的橫向性，總要在現實中選擇有共同理想方向的一些朋友，喪失仍陷在族長權威的迷執中（〈艮卦〉在東北方位）的一些朋友；前者增加我們生命的力量，後者減損我們生命的力量。這就可以安於貞定自己所定的方向，是吉祥的。

初六　履霜，堅冰至。

「履」是踐履的過程，踩在「霜」上。懷孕的母馬在身體的感受上，理解牠孕育著另一個生命，當馬蹄踏在霜上，牠對於微小的寒冷所帶來的更凜冽的寒冷（堅冰），對生命產生的威脅，有一沉思。霜是訴諸身體微冷的身體感，在實踐上就要知道由微冷到極冷的趨向，就是要由霜知道堅冰將至的智慧。這訴諸生理微小的感覺，由生理轉到心理的認知，訴諸於對身體的好壞，而非善惡。

六二　直、方、大，不習无不利。

有了〈初六〉的實踐智慧學，成為我們的生活格言，那就是我們的身體與其所觸及的人、物，要加起來是好的。在人上，是「得朋」！與物相觸，是好的，那麼人生的道路筆直、方正、廣大，即使沒有另外學習什麼，也不會有所不利。

六三　含章可貞，或從王事，无成有終。

含著內在美好的法則（章：條件、標準），做為一切的衡量。即使偶然地追隨人間有最大力量的人即君王做事，只要感覺微小的力量相加，而不是減損，那麼即使沒有顯赫的成就，也能夠有始有終，不致遭受不利。

六四　括囊，无咎无譽。

如果〈初六〉建立生活的智慧判斷，〈六四〉則建立生活的行為準則。那就是人要像口袋一樣收束住自己的囊口，先求對自

己生命免於減損力量，就可以免於災禍，雖然也不會有榮譽，這就是「韜光養晦」。如果只在語言上就是「守口如瓶」，孫悟空的名言是：「口開神氣散，舌動是非生。」行為也是如此，含蓄不誇張。

六五　黃裳，元吉。

由於能以「括囊」做為行為準則，謹慎小心，不顯露光芒，才能有機會如「黃帝垂衣裳而天下治」。「黃」是土地的顏色，行為要合乎大地的準則。「黃裳」是人間的君王，才能建立新的價值觀。

上六　龍戰於野，其血玄黃。

當實踐的存有論建立後，舊的價值觀淪入虛空，天道回歸大地；天玄而地黃，天龍的血中有大地的顏色（玄黃：天地的別稱），必從大地建立新的價值觀。龍是一是多？是一，是舊的價值觀倒塌。是多，是在萬物中多種可能的價值觀爭戰。總之，是強壯的虛無主義，尼采說：「超人是大地的精義」！龍是天道，野是無人的大地，《爾雅》說：「邑外謂之郊，郊外謂之牧，牧外謂之野，野外謂之林。」天道來自地道，大地精神！**「龍戰於野」是中國古代最雄辯的意象，也是最深沉的智慧。**

用六　利永貞。

有利於永遠貞定自己的方向。一切價值生成又死滅，總歸藏

於大地。

乾為天（卦二）

 （天上天下）乾，元、亨、利、貞。

　　乾卦是天道之卦，以大地做為根源，根源是亨通的，有利於貞定自己的方向。「龍戰於野」是世界先在的價值觀與大地新孕育的價值觀的鬥爭；是世界與大地的鬥爭。天龍舊有的價值無復昔日的光輝，並回歸於大地；一切的價值失落，等待重新開始天道的運動。

初九　潛龍勿用。

　　天道還潛伏在深淵中，仍是渾沌！龍潛於淵，也就是藏於淵；由「野」到「淵」，由大地到大地的深處，萬物也歸藏於大地。大地和深淵，前者是立身的根據，後者是價值的無根據；大地和深淵其義一也，猶如滄海桑田。故而萬物中潛藏著一條天龍（天道），牠會升騰變化，但現在牠潛藏在深淵中，尚未奠定終極的價值。

九二　見（ㄒㄧㄢˋ）龍在田，利見大人。

　　天道出現在田間，中國以農立國，田是人類生活的界域，意謂著由潛藏的深淵出現到人類的生活中。由「淵」到「田」，空

間的變化代表視覺上的隱蔽和顯現。在人類生活中首先注意到天道出現的人，見證到一個世代突然崛起的力量，有利於成為偉大的人物！

九三　君子終日乾乾，夕惕若厲，无咎（ㄐㄧㄡˋ）。

君子跟隨偉大的人物學習，即使到了夜晚，也嚴格地要求警惕（惕：警惕）自己，這樣也不會有災禍。故而大人是目擊證人，目擊道存，這力量是一種撞擊，改變了生命。大人則影響君子的生命，聚集傳習，互相影響。

九四　或躍在淵，无咎。

因為大人有君子傳習而互相影響，即使天道暫時被隱蔽，顯現的力量不夠強勁，在若隱若現間暫時又歸於隱蔽。天龍或又回歸大地的深處，回歸深淵，也不會有災禍。

九五　飛龍在天，利見大人。

天龍高高地飛在天上，天道力量的超越性在眾人仰望的天上顯揚出來，這力量也會撞擊許多的人，也有利於與顯現偉大的人物。

上九　亢（ㄎㄤˋ）龍有悔。

飛龍是超越性，亢龍是過度的超越性；其實是天道的出現必然維持一段時間，亢的位置也是時間的延續造成的僵化，當內容

被抽乾了，就只剩僵化的形式！天道到盛極已無力再持續下去，傳統的影響力變成機械式的摹仿。高亢距離深淵太遠，欲回歸深淵。

用九　見群龍无首。吉。

用九是六爻陽爻全變陰爻，龍就散成大地上多元的力量，並無大一統、過分集中的一元力量做為主宰、支配的力量。任多樣性、多元性的力量去發展，是吉祥的。但或許有一神祕公式：多也是一，讓生命活躍在生命之中。

第五章　〈坤〉、〈乾〉之外
（〈上經〉）

水雷屯（卦三）

䷂ （水上雷下）屯，元亨利貞，勿用！有攸往，利建侯。

屯卦，在源頭是亨通的，有利於濃雲中的閃電，閃電當然是一種光照，一種雷霆的力量，但帶著渾沌的黑暈。天道是濃雲還是閃電呢？兩者皆是！在這種情境中，見證到爆破而出的大力量，是我們驅前而進的方向。有利於大的志業，建立侯王的國度。

初九　磐桓，利居貞，利建侯。

見證到道爆破而出的絕大力量，我們暫時盤桓不進，感受那絕大的力量，那是創造變化的力量。李白〈贈僧崖公〉詩云：「攬彼造化力，持為我神通。」（詩哲方東美曾引）這個「彼」字如視為自然，那就是抓住自然創造變化的力量，成為我神通的來源。這時只能感受，有利於在停留居住時貞定自己。有利於建

立侯王的事業。

六二　屯如邅（ㄓㄢ）如，乘馬班如，匪寇婚媾，女子貞不字，十年乃字。

　　屯駐在此難以行進（邅：難行不進），乘馬也是班旋不進（班：調回來）。又不是強盜前來搶劫，而是要與偉大的力量結合（婚媾：婚姻），所以不要滿足於較小的、微弱的力量，就像女人貞潔而不婚，十年才嫁。我們必須有深沉的感受，久久的沉思！

六三　即鹿无虞，惟入于林中。君子幾，不如舍，往吝。

　　有鹿來當然可以抓，沒有什麼好顧慮！但是要進入林中，密林深處有難以辨明的危險。君子見機而作（幾：機也），不如暫時捨棄不追，硬要前去會有悔恨。

六四　乘馬班如，求婚媾。往吉，无不利。

　　乘馬班旋不進，如求取與絕大的力量發生關係。前去是吉利的，沒有什麼不利。

九五　屯其膏，小貞吉，大貞凶。

　　屯駐在大道小小的膏澤中，就此滿足，小小地貞定自己是吉祥的。但大大地貞定自生命的大方向，則帶來凶險。不能以小的

利益替代偉大的光照。

上六　乘馬班如，泣血漣如。

　　目擊道存，如果總是騎馬班旋不進，你將錯過最偉大的婚配！那麼將會哭泣（漣如：涕泣狀）出血來而流不止了。

山水蒙（卦四）

（山上水下）蒙，亨。匪我求童蒙，童蒙求我。初筮告，再三瀆（ㄉㄨˊ），瀆則不告，利貞。

　　蒙卦，是亨通的。下卦為坎，是水流；上卦是艮，是禁令。重要的是由流動的去衝決那僵硬不動的。本能的習慣支配著我們的習俗道德，大家習以為常，思想已僵化！我並不求索孩童般的蒙昧要信服我，而是孩童般的蒙昧要求索我來解放他們。所以初筮有誠心就告訴他，再三試探就褻瀆了，褻瀆就不告訴他了。這樣就不致枉費心力，利於貞定自己。

初六　發蒙，利用刑人，用說（ㄊㄨㄛ）桎梏，以往，吝。

　　啟發蒙昧，利用刑罰於人，用以脫去思想上的桎梏：這樣進行，是會有悔恨的。

九二　包蒙吉，納婦吉，子克家。

包容蒙昧是吉祥的，娶（取：娶）妻是吉祥的，兒子也能夠治理家庭。

六三　勿用！取女，見金夫，不有躬，无攸利。

對於大道尚未脫蒙昧狀態，還不要使用它的力量。想要迎娶的是女孩，但是陽剛高懸，雖然社會的名譽和利益使我們動心，但是損傷了身體，也得不到什麼利益。

六四　困蒙，吝。

困於蒙昧當中，無法突破！高高的禁令懸擱在上，像命令詞，很難躲避開來。

六五　童蒙，吉。

孩童似的蒙昧，是吉祥的。雖然靠近強而有力的暴君，保持天真純潔的孩童式蒙昧，庶幾可以保全生命，是吉祥的。

上九　擊蒙，不利為寇，利禦寇。

要擊潰蒙昧，像強梁一樣地去擊潰蒙昧，是不利的。有利的是抵抗蒙昧，像抵禦盜賊一樣。蒙昧就是大家都習以為常，並有市場效應，你無法以一人之力對抗群眾，你只能自己抵禦蒙昧。

水天需（卦五）

（水上天下）需，有孚，光亨，貞吉，利涉大川。

天的剛健需要水，需要有其信服力，因為雨終究會落下。小說家趙滋蕃（1924-1986）說：「需要不等於美，但需要含有美的可能性。」因此天道的光明是亨通的，這樣貞定自己是吉利的，有利於跋涉過巨大的川流。有多大的需要，就有多大的視野。現實中的需要，也可以產生美的可能性。

初九 需于郊，利用恆，无咎。

城邑外曰郊，在郊外想進入城裡的現實需要，要利用恆久的忍耐，只要持之以恆，不躁進，就沒有災禍。

九二 需于沙，小有言，終吉。

在沙漠中的需要，是無邊的寂寞。尼采說：「沙漠無邊的伸展者，苦了懷沙的人。」這是強壯的虛無主義，所有先前的價值觀已失去意義，這是尼采「精神三變」中第一變：變成駱駝！「這一切艱重皆由堅韌的精神負起：如駱駝，負重向沙漠奔去，他如是奔往他的沙漠。」[1]這寂寞的曠野！無邊的寂寞，也是無邊的寂靜，在無言中生出少許的心聲，如海德格「靜默中的金鈴聲」，終究是吉祥的。

---

[1] 尼采《蘇魯支語錄》（臺北：正文，1971），頁 17。

九三　需于泥，致寇至。

在泥濘中的需要，是自己讓自己陷入泥濘難行的狀況，終遭
至外來的盜賊來到。

六四　需于血，出自穴。

在血泊中的需要，一個陰爻陷入兩個陽爻之中，受到了威
脅，自己從穴洞中逃出，付出相當的代價。穴洞是指下面三陽爻
的封鎖，要跳出「習俗道德」，需要扭轉自己生命的航道。我們
的需要，終有超越現實的超越性，現實就是傳統價值已成習俗價
值！「千秋價值隱現於此龍鱗，龍中最強力的龍便如是說：「一
切事物的價值──在我身上輝煌。」故而要對抗天龍，故而精神
第二變是「變成獅子」，「創造著新創造的自由」。（同上，頁
18）

九五　需于酒食，貞吉。

在酒食中的需要，也要貞定自己的言語。所以兩陰夾一陽，
是吉祥的。現實的需要，在長久的等待之後得到滿足，柏格森
說：「意識是生命的關注。」酒食也是現實上保存自己生命所需
要的。

上六　入于穴，有不速之客三人來，敬之終吉。

又被陽爻封鎖，進入洞穴；「有不速之客三人來，還指前三
個陽爻。從前的老朋友突然闖來，還帶著老習慣，只要保持尊

敬，終究還是吉祥的。最後一重精神的變化是嬰兒，「入于穴」是「為創造的遊戲，必須神聖的肯定。精神於是需要其自我的意志，失掉世界者要復得他自己的世界。」（同上）嬰兒是天真和遺忘，一種遊戲。

天水訟（卦六）

（天上水下）訟。有孚窒，惕中吉，終凶。利見大人，不利涉大川。

天道已僵化成固習，僵硬的習慣，我們所謂的「傳統」。這個傳統形成社會秩序，要鬆化社會秩序，等於在挑戰有力的巨人。雖然有信實（孚：信），但在窒礙難行中要警惕自己，在過程中是吉祥的，但如果一直要去硬抗，則有凶險。有利於顯現偉大的人物，但不利於進行到底，那是跋涉過大河。

初六　不永所事，小有言，終吉。

不延續所進行的事，只是小小的抱怨，終究是吉祥的。

九二　不克訟，歸而逋（ㄅㄨ），其邑人三百戶。无眚（ㄕㄥˇ）。

一陽的力量無力對抗三陽的力量，但一陽仍包於兩陰之間，沒有能力對抗傳統，回歸而逃走（逋：逃亡），水仍可蓄養，采邑（領地）還有三百戶封地上的人，沒有過失（眚：過失）。

六三　食舊德，貞厲，終吉。或從王事，无成。

　　食用繼承來的先人的俸祿，貞定自己非常嚴厲，終究是吉祥的。這樣或然跟隨侯王做事，沒有成就。

九四　不克訟，復即命。渝安貞，吉。

　　沒有能力和傳統或社會成規進行爭論，回歸（復：回歸）未來的命運。改變（渝：變更）就安於貞定自己，吉利。

九五　訟，元吉。

　　和傳統爭辯，在根源上是吉祥的。

上九　或錫之鞶（ㄆㄢˊ）帶，終朝三褫（ㄔˇ）之。

　　但把爭辯進行到底，傳統或社會成規的力量還是如此顯著，就算暫時贏得辯論，或許得到賞賜（錫：賞賜）代表爵位的腰間大帶（鞶：大的帶子），一天之內就奪回（褫：革除，奪去）三次。

地水師（卦七）

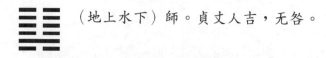 （地上水下）師。貞丈人吉，无咎。

　　地中有水，是深淵，龍蓄藏於深淵，由此來貞定偉大的人物！來領導眾人。生命如同作戰，必須面對事物，學會處理，這

就是出師，在生活經驗中磨練，貞定作戰的大人（丈人：長老的通稱）是吉祥的，沒有災禍。

初六 師出以律，否臧（卫尢）凶。

出師必須培養紀律，在生活經驗中必須找出經驗的模型、規律，如果閉塞（否：閉塞）而埋頭不顧，就有凶險。

九二 在師中，吉无咎，王三錫命。

在出師中，陽剛有二陰柔保護，吉祥而無凶險。侯王三次賞賜。

六三 師或輿（ㄩˊ）尸，凶。

出師不利，或者扛著（輿：扛著）戰士的屍體（輿尸：戰死而共舉其遺體），我們要覺察到生命中的失誤，都視同造成身體的損傷、死亡！是凶險的。

六四 師左次，无咎。

左邊不是攻擊的位置，軍隊不採取正面攻擊的位置，而停駐（次：地方）在左邊。右邊才是正面攻擊的位置，在左邊停駐，自然不是正面對決，也就沒有災禍。

六五 田有禽，利執言，无咎。長子帥師，弟子輿尸，貞凶。

　　在我們生活領域中，出現了可供食用的禽獸，抓住再說，是
有利的，不會有什麼災禍！抓住禽獸要有經驗的人，要有能力。
作戰的大人能夠率領軍隊，但缺乏經驗的弟子會扛著屍體而回！
要貞定自己的凶險。

上六　大君有命，開國承家，小人勿用。

　　大君有命令，要開創新的國家和承繼家業，不能使用小人，
為小人所蒙蔽！由丈人到成為大君，這就是在經驗上所造成的轉
變。

水地比（卦八）

■■■（水上地下）比，吉。原筮，元永貞，无咎。不
寧方來，後夫凶。

　　在地上蓄積的水，彼此之間有親和力，比附形成關係，關係
是一種聯結。比附是吉祥的。原來所筮得的，在根源上是吉祥
的，沒有任何災禍！不安寧時，才去聯結關係，後來會造成凶
險。

初六　有孚，比之，无咎。有孚，盈缶（ㄈㄡˇ），終來
有它吉。

　　有信實的力量，比附形成的關係，是沒有災禍的。有信實的
力量充滿了容器（缶：盛酒漿用的大腹小口的瓦器），終究有他

者來比附，造成關係上的聯結，這是吉祥的。

六二　比之自內，貞吉。

比附形成的關係，自內在而來，貞定自己是吉祥的。

六三　比之匪（ㄈㄟ）人。

比附形成的關係，是非（匪：非）人的，不能由人文主義的角度來思考！比附所形成的關係是聯結性的力量，關係，尼采說：「我們從動物劫掠了牠們的美德，只有飛鳥還超過我們。」即是我們學習了動物所具有的能力，成為我們自己的力量，尼采的「變形」（metamorphosis）成為德勒茲的「變為一動物」。

六四　外比之，貞吉。

向外比附所形成的關係，貞定後就是吉祥的。

九五　顯比，王用三驅失前禽，邑人不誡，吉。

顯著的比附形成的關係，擁有巨大的關係與力量。侯王三面驅趕禽獸而捕殺，但網開一面任前逃的禽獸跑走。但並不警戒親近（邑：古時地方區域名）的人，是吉祥的，這是侯王的智慧。當關係壯大，留一線生機！當關係到達顯赫之時，涉及關係力量的比較，這是唯一的陽爻。擁有最大關係－力量的侯王，決不無情追殺。

上六　比之无首，凶。

沒頭沒腦的比附拉關係，是凶險的，困在剛爻中！

風天小畜（卦九）

（風上天下）小畜，亨。密雲不雨，自我西郊。

　　小小的蓄積，是亨通的。陰雲密布的天空沒有下雨，風雲是從西邊的郊外吹來。如果密雲而雨，那是坎在上！成為〈水天需卦〉了。現在陰爻仍被三陽爻阻隔，故密雲不雨。

初九　復自道，何其咎，吉。

　　回歸自我生命的道路，目標是六四小小的陰天。那陰爻才是力量小小的蓄積，怎麼會有災禍呢？這是吉利的。

九二　牽復，吉。

　　牽著車子回歸，加快速度，是吉利的。

九三　輿說（ㄊㄨㄛ）輻，夫妻反目。

　　速度加得太快，脫離（說：脫）日常的軌道，車子脫去輪軸，夫妻的關係也脫軌了。回歸的速度太快，與現實產生差距！甚至「反現實」。

六四 有孚,血去惕出,无咎。

有令人信服的力量,遠離令人流血的災難,但是仍要警惕,這樣才會沒有災禍。

九五 有孚攣(ㄌㄨㄢˊ)如,富以其鄰。

有內在信實的力量,又能影響(攣:互相牽繫)別人,使鄰人富有!

上九 既雨既處,尚德載,婦貞厲,月幾望,君子征凶。

雨既已降落,而且就在此處。並且崇尚「德」的承載,所以「德」是「孚」,有信實的力量可以當車子來承載事物,婦女貞定自己要非常嚴厲,這是陰性的存有論,農曆十五的月亮,望日的月亮幾至滿月。君子的征程反而導致凶險,「德」已在這個地方,何須向外征伐!

天澤履(卦十)

 (天上澤下)履虎尾,不咥(ㄉㄧㄝˊ)人,亨。

在天(三陽爻)這麼陽剛力量的威逼下,就是要以女人(澤為長女)的柔軟踩著老虎的尾巴,牠也不回頭咬(咥:咬)你,這種實踐是亨通的。

初九　素履往，无咎。

樸素的實踐，是沒有什麼災禍的。初見人世是美好的！納蘭性德詞：「人生若只如初見，何事秋風悲畫扇！」初見則雲淡風輕，不致產生憾恨。

九二　履道坦坦，幽人貞吉。

實踐的道路平坦又平坦，隱居（幽人：幽隱山林的人）的人貞定自己是吉利的。

六三　眇（ㄇㄧㄠˇ）能視，跛（ㄅㄛˇ）能履。履虎尾，咥人，凶。武人為于大君。

即使眼睛少了（眇：瞎了一隻眼睛）仍看得見，腳跛了仍能行走。因為知道踩著老虎的尾巴，觸犯社會機制是凶險的。而當武人為王作戰，想推翻現實舊有的力量，是如此冥頑不靈！以柔順處重剛之中，六三正要踏上虎尾，小心翼翼。

九四　履虎尾，愬愬（ㄙㄨˋ）終吉。

踩著老虎的尾巴走路，是社會現實的凶險，終要小心謹慎，終究是吉利的。

九五　夬（ㄍㄨㄞˋ）履，貞厲。

決定性（夬：決而不疑）的實踐，貞定自己要非常嚴厲。

上九　視履考祥，其旋元吉。

回顧自己生命的實踐，來考察自己是否吉祥，圍繞著人事旋轉，如果與根源相通是吉利的。

地天泰（卦十一）

　（地上天下）泰，小往大來，吉亨。

泰卦，天地交泰，天道歸於大地之下，大地升起於天道之上。小的指有時間性的天道，成為過去；大的指天地，無邊的希望正來到。這是回到廣大開闊的世界，野草生長而成草原，是吉利亨通的。

初九　拔茅茹，以其彙（ㄏㄨㄟˋ）征，吉。

拔茅草，看其根相互牽引，以其聚集成叢（彙：同類的事物聚集起來）的方式出征，是吉利的。

九二　包荒，用馮（ㄆㄧㄥˊ）河，不遐（ㄒㄧㄚˊ）遺，朋亡。得尚于中行。

包容荒蕪，善用魯莽渡河（馮河：徒步過河）的冒險精神，沒有什麼可捨棄的，不偏私營黨，得助於中道而行。

九三　无平不陂（ㄆㄛ），无往不復，艱貞无咎。勿恤

（ㄒㄩˋ）其孚，于食有福。

　　沒有平坦而沒有斜坡（陂：不平的樣子）的，沒有往前而不
回歸的，王弼注：「三處天地之際，將復其所處。」在天地的邊
際而回歸其原來的地方即是大地。王弼根據《易傳》，則其他的
解釋不必跟隨。在艱難時世之際只要貞定自己，也不會有災禍。
不要憂慮（恤：憂憫，顧慮）自己得於先天的能力有沒有得到發
展，在保全自己生命的食祿上是幸福的。

六四　翩翩，不富以其鄰，不戒，以孚。

　　坤卦初爻翩翩飛舞於天道之上，其鄰人（指九三）無法分享
富有。不用告誡他，帶有先天的內在的特異性。

六五　帝乙歸妹²，以祉（ㄓˇ），元吉。

　　商王帝乙（？－前 1076）把女兒下嫁給周文王，都要紆尊
降貴。天地之間的婚配，天道降下，大地上升，是得福的，在根
源上是吉利的。到六五已具王德，故君王帝乙嫁妹於你。

上六　城復于隍（ㄏㄨㄤˊ），勿用師。自邑告命，貞
吝。

　　城牆倒塌，又回落到原來的壕溝裡去。原先的價值標準已崩

2　顧頡剛《周易卦爻辭中的故事》說此係商紂王他爹帝乙以「和親」的方
　　式把女兒嫁給周侯文王的故事。

落，來自自己城中也傳達命令，不要動用軍隊。那樣的話，貞定自己是會帶有悔恨的。

天地否（卦十二）

（天上地下）否之匪人，不利君子貞，大往小來。

否卦非人道，不利於君子貞定自己。泰卦是亨通，否卦是閉塞。天道的價值觀已僵化，封鎖住大地廣大開闊的生機，大地消逝；小指天道，社會的僵化機制正到來。

初六　拔茅茹，以其彙（ㄏㄨㄟˋ），貞吉亨。

拔茅草，看其根相互牽引，以其聚集成夥來貞定自己，是吉利亨通的。此時應要固守，不要出征。

六二　包承，小人吉，大人否亨。

用包容奉承於上，小人是吉利的，大人閉塞自己才是亨通的。

六三　包羞。

太貼近於社會名利的機制，這種包容是羞恥的。

九四　有命无咎，疇離祉。

有命而沒有災禍，但此時田地（疇：已耕的田）離開了幸福，進入了社會機制，一切是僵硬的成規。

九五　休否，大人吉，其亡其亡，繫于苞桑。

休止閉塞的狀態，對偉大的人物是吉利的。常擔心閉塞，社會機制的僵化，常念著「完了！完了！」社會的安寧之道維繫於苞桑（苞桑：喻穩固的根基）那樣叢生而深固。

上九　傾否，先否後喜。

傾倒了社會機制的僵化與閉塞！先有那樣的傾倒，才有後面的喜悅。

天火同人（卦十三）

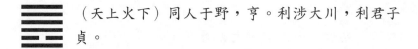

（天上火下）同人于野，亨。利涉大川，利君子貞。

天道的超越性高高在上，國家機器的治理是熾熱的烈火。天火燒得強烈，聚集志同道合的夥伴於無人的野外，是亨通的。有利於跋涉過大河，有利於君子貞定自己。一個時代改弦易幟，都從無人的野外開始。新興的力量是一種例外，有稀罕性。

初九　同人于門，无咎。

聚集志同道合的夥伴，只及於大門之外，不會有災禍。

六二　同人于宗，吝。

聚集志同道合的夥伴，只及於宗族宗黨，是有悔恨的。這是同夥太過偏狹，無法面對大的格局。

九三　伏戎于莽，升其高陵，三歲不興。

窺伺國家機器的力量，在草莽叢林中伏藏著兵戎軍隊，登上高的山陵窺測，窺測九四到上九的國家機器，三年不興兵作戰。在草莽叢林伏兵，在城外高陵窺伺，可謂步步進逼。

九四　乘其墉（ㄩㄥ），弗克攻，吉。

登上了城牆（墉：高的牆），不能繼續攻擊，是吉利的！城牆已是城邑的外牆，不能發動攻擊，以避免己方的損傷，是吉利的。

九五　同人先號咷而後笑，大師克相遇。

同夥先是哭泣而後大笑，主力軍能夠相會合。

上九　同人于郊，无悔。

同夥在京師之外的城郊，是沒有悔恨的。故此卦略去兵戎相見的損傷，流血與屍體的場面。此卦真正的力量是從無人的野外升起，並非宗族式的戰爭。是面對國家機器的力量，也只在城牆上，避免城邑中心的攻擊。最後是在城外之郊，在空間的變換中

完成一個時代的轉變。

火天大有（卦十四）

　（火上天下）大有，元亨。

大有卦，大大的富有，在源頭上是亨通的。火在天上照耀，猶如正午，是沒有陰影的時刻。乾天在大地的位置，太陽在天道的位置，大光明！

初九　无交害，匪咎，艱則无咎。

沒有交相侵害的，不是災禍！艱貞就沒有災禍。乾天在大地的位置，在實踐上沒有乾天威逼的力道，而陽光普照，一切價值朗朗現形。

九二　大車以載，有攸往，无咎。

用大車來乘載貨物，心願大，有選擇未來的方向，沒有災禍。

九三　公用亨于天子，小人弗克。

公爵用亨通能通達天子，小人就不能做到。公侯所堅持的是貴族道德，貴族道德依尼采，是「高貴、有力、高高在上以及具有高超精神的人，他宣稱他們自身以及其所作所為為善，即是屬

於最高階層，對抗那些心靈低卑者以及賤民。」[3]故而小人是心靈低卑者，所謂「奴隸道德」。

九四 匪其彭，无咎。

這不是來自他本身的盛大（彭：盛大），沒有災禍。

六五 厥（ㄐㄩㄝˊ）孚交如，威如，吉。

他的（厥：他的）內在的信實就是這樣互相交流。「孚」就是「德」，就是這樣威嚴，是吉利的。

上九 自天佑之，吉无不利。

自上天來保佑他，是吉利而沒有不吉利的。天然的，是在根源上是亨通的，乾天在坤地的位置之上。

地山謙（卦十五）

（坤上艮下）謙，亨，君子有終。

謙卦，是亨通的，君子有好的結果。在地下還有山，山的高度不欲人看見，在地中的空虛容納一座山的高度，這也見到大地的深度。艮山在坤地之下，把酋長的禁令封埋於大地之下，正是

---

3 尼采《道德系譜學》，陳芳郁譯（臺北：水牛，1975），頁4。

《歸藏》易取代《連山》易的力量。全卦皆吉！

初六　謙謙君子，用涉大川，吉。

　　謙虛又謙虛的君子，用來跋涉過大河，是吉利的。上卦為地，川是江河的總稱，但《玉篇》川字注：「巛讀川，古為坤字。」故在古義上，「大江大河」與「大地」幾同義，因此利於跋涉過大川。

六二　鳴謙，貞吉。

　　在語言的表現上謙虛，貞定自己是吉利的。

九三　勞謙，君子有終，吉。

　　有功勞卻謙虛，君子有好的結果，吉利。

六四　无不利，撝（同揮）謙。

　　沒有不利的，充分發揮謙虛出來。

六五　不富以其鄰，利用侵伐，无不利。

　　到六五已具王德，如見消國富有卻不潤澤其鄰，有利於用鄰國侵伐，沒有什麼不利的。

上六　鳴謙，利用行師，征邑國。

在言語上謙虛，有利於用來揮師出征，征伐城邑國家。

雷地豫（卦十六）

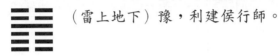　（雷上地下）豫，利建侯行師。

豫卦，經過長久的預備（豫：預備），有利於建立諸侯，揮師出征。

初六　鳴豫，凶。

在預備時不斷在語言上表現，是凶險的。

六二　介于石，不終日，貞吉。

處於石頭之間（介：在兩方的中間），但也不會終日如此，預備階段總會過去，貞定自己是吉利的。

六三　盱（ㄒㄩ）豫悔，遲有悔。

看著預備階段如此長久，而感覺到後悔；以後則將有悔意。因為預備階段的長久，本是成功的必要條件。

九四　由豫，大有得，勿疑，朋盍簪（ㄏㄜˊ ㄗㄢ）。

由預備階段，大有收穫；這種石破天驚的一擊，是毋庸猜疑

的，朋友何不（盍：何不）合聚（簪：連也，聚也）在一起。

六五　貞疾，恆不死。

健康時要想疾病時的狀態！用疾病來貞定自己，不好勇猛，反倒得以保全，常反而不死。弱成為長生之道。

上六　冥豫，成有渝，无咎。

暗自預備，成為生命有了創造性的改變（渝：變更），不會有什麼災禍。

澤雷隨（卦十七）

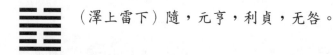（澤上雷下）隨，元亨，利貞，无咎。

隨卦，在源頭上是亨通的，有利於貞定自己，沒有什麼災禍。雷是乾體在大地的位置，往澤是坤體在天道的位置，天道下行，地道上行，在源頭上是亨通的。故雷的震動往水的波動進行，隨之起舞。故而不拘故常。

初九　官有渝，貞吉，出門交有功。

官府有所改變，貞定自己是吉利的，要出門交流才有功勞。官府要通權達變，而非閉門造車。陽爻是震動，在外尋求機會，少不了世俗應酬，那是求建立功勞。

六二 係小子，失丈夫。

抓住（係：縛）天真活潑的嬰兒，要失去丈夫的氣概；我們當柔軟如嬰兒，這是生命型態的變化，或者說是選擇生命型態。

六三 係丈夫，失小子。隨有求得，利居貞。

抓住了丈夫氣概，失去嬰兒的天真活潑。隨是有求而得，有利於定居的方式來貞定自己。要有求才能得，否則我們已失去了嬰兒的天真活潑，只有以居住在家的方式，才能感受生命姿態的生成變化。

九四 隨有獲，貞凶。有孚在道，以明，何咎。

隨波逐流，有所獲得，可以貞定凶險。懷抱著先天的特異性，在人生的道路上，用智慧來通達，又有什麼災禍。

九五 孚于嘉，吉。

先天的特異性在嘉美，是吉利的。

上六 拘係之，乃從維之。王用亨于西山。

抓住先天的特異性，然後維繫之。嬰兒是王，王使用先天的特異性而亨通於西山，可以行君王的祭祀大典。

山風蠱（卦十八）

（山上風下）蠱，元亨，利涉大川。先甲三日，
後甲三日。

　　蠱卦，在源頭上是亨通的，有利於跋涉過大河。以風的飄動
去動搖山般的命令，風是坤卦卦體，通於源頭。在事件開始[4]前
三天，在事件結束後三天，這才是事情的始終。禁令在上，是造
成蠱的原因，敗壞了一切。

初六　幹父之蠱，有子，考无咎，厲，終吉。

　　要解決父親的麻煩，有孩子，父親（考：父親）就沒有什麼
災禍了。雖然嚴厲些，終究是吉利的。

九二　幹母之蠱，不可貞。

　　解決母親的麻煩，無法貞定自己。

九三　幹父之蠱，小有悔，无大咎。

　　解決父親的麻煩，小小的悔恨，沒有大的災禍。

---

[4]　天干為甲、乙、丙、丁、戊、己、庚、辛、壬、癸。此處「多數均以
　　《子夏易傳》的解釋為準。王夫之說：『諸儒同於鄭氏之說，以為甲者
　　宣令之日。先者三日而用辛也，欲取改新之義。後之三日而用丁也，取
　　其丁寧之義。』」見徐志銳《周易大傳新注》（濟南：齊魯書社），頁
　　122。「丁寧」同「叮嚀」，以「甲」為「事件開始」，較簡明。

六四　裕父之蠱，往見吝。

稍稍寬緩處理父親的麻煩，往見他會有小小的憾恨。

六五　幹父之蠱，用譽。

解決父親的麻煩，用榮譽來維護他。

上九　不事王侯，高尚其事。

不事奉王侯，但把王侯的事擺在高尚的位置上。艮體最上的陽爻，就是王侯禁止的命令。

地澤臨（卦十九）

（地上澤下）臨，元亨，利貞，至于八月有凶。

臨卦，源頭上是亨通的，有利於貞定自己，地和澤俱為坤體，如在位置上鄰近，採取「臨」義。程頤說：「八月，謂陽生之八月。陽始生於復，自復至遯凡八月。自建子至建未也。二陰長而陽消矣，故云消不久也。」[5]以兩卦共十二爻推算陰陽消長可，但〈天山遯〉卦體皆天道乾體，都是超越性的重壓，艮體更是族長的禁令，故有凶。

5　程頤《周易傳》（臺北：藝文，1978），頁106。

初九　咸臨，貞吉。

用感通去面對人，這樣貞定自己是吉利的。

九二　咸臨，吉无不利。

用感通去面對人，吉利，沒有不吉利的。

六三　甘臨，无攸利。既憂之，无咎。

甜美的去面對人，沒有什麼吉利。如果能以之為憂懼，就沒有什麼災禍了。

六四　至臨，无咎。

由坤體澤卦真正達到坤體地道，沒有什麼災禍。

六五　知臨，大君之宜，吉。

用智慧去面對人群，適合成為偉大的君王，是吉利的。

上六　敦臨，吉无咎。

以敦厚面對人群，吉利而沒有災禍。

風地觀（卦二十）

（風上地下）觀，盥而不薦，有孚顒（ㄩㄥˊ）
若。

觀卦，要真正觀察風向，要盥洗保持潔淨而無須像獻祭
（薦：獻祭）那樣，真正要仰望（顒：仰望）的是先天的特異
性。

初六　童觀，小人无咎，君子吝。

小童的觀察天真無邪，小孩是沒有什麼災禍，但對於君子來
說就會有小小的悔恨。生命總是要在生活經驗中有所成長。

六二　窺觀，利女貞。

從門縫中窺看觀察，利於女人貞定自己；在深閨中離開人
群，正足以觀察自己生命的特異性。生命的美感，有時是「偷
窺」的，即是說要察人所未察。

六三　觀我生進退。

觀察自己的生命進退之道，生命經驗主要在進退之間，即刺
激－反應模式，尼采說「延緩反應」（slow to react），是美學家
的反應模式。在刺激與反應之間，留下緩衝地帶。

六四　觀國之光，利用賓于王。

觀察國家的光榮，有利於以賓的身分為王侯服務。

九五　觀我生，君子无咎。

觀察反省自己的生命，君子沒有災禍。

上九　觀其生，君子无咎。

客觀觀察自己的生命，把「我」當作「他」來觀察，跳出主觀性，君子沒有什麼災禍。

火雷噬嗑（卦二十一）

　（火上雷下）噬嗑，亨，利用獄。

噬嗑卦，是亨通的。食物是需要，但為了食物人有時干犯刑罰；所以火雷噬嗑卦既有牙齒的形態，又有刑具或牢獄的形態。火和雷都是天道乾體，上下兩陽剛之間是牙齒之形，橫看是嘴。但中又一陽爻，會嗑著牙；故為噬嗑卦，亨通，有利於用刑罰來懲治。但前三爻，因雷卦乾體在大地的位置，沒有什麼災禍。

初九　屨（ㄐㄩˋ）校滅趾，无咎。

穿戴刑具來校正犯刑從而淹沒掉腳趾，致看不見。沒有什麼災禍。校正的鞋具叫「踊」（ㄩㄥˇ），所以成語「屨賤踊貴」是說刑罰太多，大家爭購校正的鞋具，一般的鞋子沒人購買，反

而價廉。但此處是適當的懲罰，刑具遮過了腳。

六二　噬膚滅鼻，无咎。

吃柔脆的肉，鼻子都陷入肉裡，沒有災禍。

六三　噬腊（ㄒㄧ丶）肉，遇毒，小吝，无咎。

吃乾腊肉，肉卻有了毒性，小小的悔恨，沒有災禍。

九四　噬乾胏（ㄗˇ），得金矢，利艱貞，吉。

吃有骨的乾肉，得到銅箭，有利於艱苦的貞定自己，吉利。

六五　噬乾肉，得黃金，貞厲，无咎。

吃乾肉，得到黃金，貞定自己要非常嚴厲，沒有什麼災禍。

上九　何校滅耳，凶。

是什麼刑具校正？帶上枷子，將耳朵都淹沒了，凶險。上九在天道陽剛的位置，凶險。

山火賁（卦二十二）

（山上火下）賁（ㄅㄧ丶），亨，小利有攸往。

賁卦，是亨通的。賁是盛飾，光明。山與火均屬天道乾體，但火在大地的位置，仍是亨通。火是流動的，給無上的禁令增添光影，也使命令的語言鬆動。小小的利於往自己的方向前進。

初九　賁其趾，舍車而徒。

修飾自己的腳趾，放棄車駕，徒步而行。

六二　賁其須。

修飾自己的鬍鬚。

九三　賁如濡如，永貞吉。

修飾得光采潤澤，永遠貞定自己是吉利的。

六四　賁如皤（ㄆㄛˊ）如，白馬翰如，匪寇婚媾。

修飾得極為本色（皤：素白），白馬馬鬃溜白（翰：白馬，羽翰），那不是盜賊，而是來求婚的。

六五　賁于丘園，束帛戔戔（ㄐㄧㄢ），吝，終吉。

裝飾山丘園林，給的禮物卻很少（戔戔：微薄的樣子），吝嗇，最終還是吉利。

上九　白賁，无咎。

祇要以素白來修飾，沒有災禍。恢復到樸素的狀態。

山地剝（卦二十三）

 （山上地下）剝，不利有攸往。

剝卦，上卦艮屬天道乾體，下卦為大地坤體，是一種僵化的狀態。尤其艮卦上爻即上九陽爻高懸禁令，君臨天下需要慢慢剝落。

初六　剝床以足蔑，貞凶。

床的剝落，從床腳開始是小的，要貞定凶險，王權的衰落總是漸漸的，像〈坤卦〉一樣，在細微處要小心謹慎，貞定凶險。

六二　剝床以辨，蔑貞凶。

床的剝落，剝落到床腳與床身可分辨的地方，小小地（蔑：小）貞定凶險。此時王權的衰落已到關鍵時刻。

六三　剝之无咎。

繼續剝落，是沒有災禍的。

六四　剝床以膚，凶。

床的剝落已到床身，是凶險的。床要崩塌，是換床的時刻；王權已要崩落。

六五　貫魚，以宮人寵，无不利。

「魚，陰物，故以為象。」[6]前五陰似魚。但在現實上，是嬪妃（宮人：嬪妃）魚貫而入，受到嬪妃的寵愛（也是陰性）。沒有不吉利的。這是如〈坤卦・六五〉已到王侯之位。

上九　碩果不食，君子得輿，小人剝廬。

碩大之果不結出果實，既然王權已崩落，自己也放棄王位。君子得到車駕的賞賜；小人卻因野心要取代王權，剝落掉了自己的屋舍（廬：房舍）。

地雷復（卦二十四）

（地上雷下）復，亨。出入无疾，朋來无咎。反復其道，七日來復，利有攸往。

復卦，坤體大地在上，乾體天道在下，是亨通的。一陽震動，往〈坤〉地行進，出入都無疾病。即使多一陽、二陽在〈乾〉體上，也無災禍，還是往〈坤〉地行進。「陽之消，至七日而來復。姤，陽之始消也。七變而成復。」[7]這是從陰消陽長

6　金景芳《周易講座》，呂紹綱整理（臺北：韜略，1996），頁 241。

7　程頤《周易傳》（臺北：藝文，1978），頁 125。

的立場說，此處只指時間循環，否則《歸藏》易的立場，〈天風姤〉也是〈坤〉體往〈乾〉體前進。復是回歸，利於選擇的方向。

初九　不復遠，无祇（业）悔，元吉。

還沒有遠離純〈坤〉體，這樣的回歸不至於（祇：至於）到後悔，在根源上是吉利的。故回歸是回歸〈坤〉體，而非「一陽來復」。故王弼注〈復〉卦云：「復者，反本之謂也，天地以本為心者也……然則天地雖大，富有萬物，雷動風行，運化萬變，寂然至無，是其本也。」回歸無的本源，這已涉及老子的概念思惟。

六二　休復，吉。

停止前進而回歸，是吉利的。

六三　頻復，厲无咎。

頻頻回歸，很嚴厲地執行，沒有災禍。

六四　中行獨復。

一陽之出，已到〈坤〉體，只有孤獨地回歸，沒有人能協助。

六五　敦復，无悔。

敦厚地回歸〈坤〉體，沒有任何後悔。

上六　迷復，凶。有災眚，用行師，終有大敗。以其國
君凶，至于十年不克征。

在迷亂中的回歸是凶險的，一個存有的紀元已至結束。有災
難要能反省，用來揮師出征，舊的價值已至崩落，必以大敗結
束。因為國君所代表的價值體系是過時的而有凶險，以至於十年
都不能夠出征。

天雷无妄（卦二十五）

（天上雷下）无妄，元亨，利貞。其匪正有眚，
不利有攸往。

无妄卦，上下卦均為天道乾體，下卦為天道乾體在大地坤體
的位置；故源頭是亨通的，有利於貞定自己。但因雷動過於陽
剛，不正時該自我反省。不利於所要前去的方向。

初九　无妄，往吉。

源頭是亨通的，沒有虛假，往前進是吉利的。

六二　不耕獲，不菑畬（ㄗ ㄩˊ），則利有攸往。

不要耕種之後即希望有收穫，不要初墾的田（菑：第一年墾
種的田）立即想變為已開墾的田（畬：已經開墾的田）。不異想

天開，則有利於前進的方向。

六三　无妄之災，或繫之牛，行人之得，邑人之災。

　　無來由的災難，或者有人把牛拴在那裡，被路人牽走了。路人有收穫，卻成為城裡人的災難！

九四　可貞，无咎。

　　可以貞定自己，沒有災禍。

九五　无妄之疾，勿藥有喜。

　　沒有來由的疾病，不要吃藥就自然好了。

上九　无妄，行有眚，无攸利。

　　沒來由的，行動有災禍，沒有什麼利益。

山天大畜（卦二十六）

 （山上天下）大畜利貞，不家食吉，利涉大川。

　　大畜卦，大大地畜養，也是大大地蓄積自己的能力，有利於貞定自己。〈艮卦〉屬天道乾體，在山下所蓄積的，是在一廣闊空間中躍動的生命，自由活潑，將產生「生命的變形」

（metamorphosis）──變為一野獸（becoming animal），跳離人為拘束的生命，更有野性的生命力。故需大草原的場域，不在家居，有利於跋涉大河。

初九　有厲，利已。

上有嚴厲的禁令，有利於停止不行。

九二　輿說輹。

車子脫落了和車軸相鉤連的木頭（輹：車子下面和軸相鉤連的木頭）。人為的車駕雖然便利，不適合野性的生命。脫離了人為的束縛，釋放野性的生命。

九三　良馬逐，利艱貞，曰閑輿衛，利有攸往。

天道（龍）行於〈坤〉地，坤為牝馬，故為龍馬，即良馬。良馬互相追逐馳騁，有利於艱貞持守。這是說：不需要車駕和自我防衛，有利於前進的方向。

六四　童牛之牿（ㄍㄨˋ），元吉。

天道乾體的力量向前衝，放在小牛牛角前的橫木（牿：牛角前橫木），使牠不亂衝撞，在根源上是吉利的。陰爻似橫木，扼制野生衝撞的力量。根源上是吉利的。

六五　豶豕（ㄈㄣˊ ㄕˇ）之牙，吉。

豬牙剛暴傷人，去勢的豬（豶：去勢的豬）所有的力量集中在牠的牙上。〈六五〉的陰爻也似牙形，但現在是柔軟的，不傷人。只要不干犯〈上九〉的禁令，野生的力量是無忌的，吉利。

上九　何天之衢（ㄑㄩˊ），亨。

有天道該走的道路何其四通八達（衢：四通八達的大路）！廣大的草原何其開闊！亨通。典型的「帝力於我何有哉」！

山雷頤（卦二十七）

（山上地下）頤（頤：面頰），貞吉，觀頤，自求口實。

頤卦，貞定自己是吉利的，觀察輔（輔：面頰骨）頰舌的運動，自己尋求口中的實惠。上下卦均為天道乾體，中間陰爻如牙齒排列。頤養是飲食之道，是生存的方式。飲食的方式是生活需要，如改變也會造成生存方式變動。

初九　舍爾靈龜，觀我朵頤。凶。

捨棄了你自己靈驗的龜卜，每個人都有自己謀生的方式；卻來垂涎我大快朵頤的口中嚼食的食物，這是凶險的。一陽震動，雷行，但撼動的是懸為天條的禁令。

六二 顛頤，拂經于丘頤，征凶。

顛倒了頤養的方式，違反了經常習慣的方式（經：慣常，經常）到山丘上去尋求頤養的方式，這樣出征是凶險的。

六三 拂頤，貞凶，十年勿用，无攸利。

違反了頤養的經常方式，貞定自己是凶險的，十年內不要使用，沒有什麼利益。

六四 顛頤吉，虎視眈眈，其欲逐逐，无咎。

但進到上卦〈艮〉體，顛倒了經常頤養的方式是吉利的。虎視眈眈，凶狠地盯視，其欲望非常強烈，但沒有災禍。

六五 拂經居貞吉，不可涉大川。

違反習於故常的方式，以定居來貞定自己是吉利的，不可以跋涉過大河。

上九 由頤，厲吉，利涉大川。

由於現實生活的需要，對自己嚴厲是吉利的；不宜撼動現實的權威，有利於跋涉過大河，到遠方求發展。

澤風大過（卦二十八）

（澤上風下）大過，棟橈（ㄋㄠˊ），利有攸往，亨。

大過卦，棟樑都彎曲（橈：彎曲的木頭）了，利於有前進的方向。如果中間的陽爻為棟樑，上下兩端的陰爻使之彎曲。上卦為大地坤體，吉利、亨通；下卦仍為大地坤體，不吉利、不亨通。但仍要以各爻的位置來論。大過是有大的過錯，必有超過尋常的例外，極端造成大過。

初六　藉用白茅，无咎。

用白茅草鋪成草墊（藉：草墊），如此小心翼翼，沒有災禍。〈初六〉陰爻在乾體應在的位置上要小心謹慎。

九二　枯楊生稊（ㄊㄧˊ），老夫得其女妻，无不利。

枯萎的楊樹生出芽（稊：草木初生的芽）來，陽爻在陰爻上，老夫得到少妻，沒有什麼不利。

九三　棟橈凶。

到〈九三〉，一陰爻不能承受二陽爻，棟樑彎曲了，是凶險的。

九四　棟隆吉，有它咎。

　　已進至大地坤體，棟樑高起來（隆：高）是吉利的，有其他的悔恨。

九五　枯楊生華，老婦得其士夫，无咎无譽。

　　上又遇陰爻的柔軟，故又是枯萎的楊樹生出花來。老太太得到她的丈夫，沒有災禍，也沒有榮譽。

上六　過涉滅頂，凶，无咎。

　　過度跋涉會有滅頂之災，凶險。但在大地坤體應有的位置是沒有災難的。

坎為水（卦二十九）

　　（水上水下）習（習：重疊）坎，有孚，維心亨，行有尚。

　　重疊的坎陷，有先天的特異性，保持心情的亨通，行為有看重的地方。上下卦均為大地坤體，但下卦為實踐行進之處，水則造成行進的困難。

初六　習坎，入于坎窞（ㄉㄢˋ），凶。

　　重疊的坎陷，坎陷中有坎陷，進入坎陷的深坑（窞：深的洞穴），是凶險的。

九二　坎有險，求小得。

　　坎陷是低下之處，有其危險；小心謹慎，只能求小小的收穫。

六三　來之坎坎，險且枕。入于坎窞，勿用。

　　過了一關又一關，這是坎陷的末端，迎來的又是一坎陷。危險且將之枕著入睡，進入了坎陷的深坑，不要輕易見用於世。

六四　樽酒，簋（ㄍㄨㄟˇ）貳，用缶（ㄈㄡˇ）。納約自牖（ㄧㄡˇ），終无咎。

　　一尊酒（樽：酒器，古作尊），兩簋（簋：盛飯的圓形竹器），用瓦盆（缶：瓦器）裝酒。要簡約要從窗戶內開始，終究沒有災禍。

九五　坎不盈，祗（ㄑㄧˊ）既平，无咎。

　　坎陷沒有盈滿水，小丘（祗：小土丘）既然平高，沒有災禍。

上六　係用徽纆（ㄇㄛˋ），置于叢棘（ㄐㄧˊ），三歲不得，凶。

　　自下卦之坎陷入於上卦之坎陷，在人生之實踐言，等於入了坎陷中的坎陷，深坑。所以捆綁（係：繫，捆綁）使用繩索（徽

縲：繩索），置放在周圍種荊棘的牢獄（叢棘：圍著荊棘的牢獄），關押三年，凶險。

離為火（卦三十）

 （火上火下）離，利貞，亨，畜牝牛，吉。

　　離卦，利於貞定自己，亨通；畜養母牛，吉祥。上下卦俱兩陽爻畜養一陰爻如兩欄杆畜養一母牛。上下卦俱天道乾體，上卦有壓，又為火上加火，故愈臨上卦，壓力愈大。前三爻是掃描人生的綜結，從年輕的犯錯到老去；後三爻則為現實社會的威權，被前三爻挑戰時採取的重力壓制。

初九　履錯，然敬之，无咎。

　　在實踐上犯了錯誤，然敬慎對待，沒有災禍。

六二　黃離，元吉。

　　黃色的太陽光，在根源上吉祥。這是中午正陽高照，沒有陰影的時刻，陽光朗照，一切清晰畢現。

九三　日昃（ㄗㄜˋ）之離，不鼓缶而歌，則大耋（ㄉㄧㄝˊ）之嗟（ㄐㄧㄝ），凶。

　　黃昏時的太陽光，沒有鼓盆而歌，表示人生犯了無可彌補的

錯誤。老之將至（大耊：七、八十歲的老人）到七、八十歲開始嗟嘆，這是凶險的。

九四　突如其來如，焚如，死如，棄如。

火上加火，天道乾體成烈陽曝曬，王權的威猛是驕陽之火，「天子討伐叛國之歌」[8]。大軍突然衝出而到來，焚燒，死屍枕藉，棄屍荒野。

六五　出涕沱若，戚嗟若，吉。

兩陽爻夾的陰爻，情勢稍緩和，但淚如滂沱大雨而下，悲戚嗟歎如此，知道停止是吉利的。

上九　王用出征，有嘉折首，獲匪其醜，无咎。

王用兵出征，慶祝斬首無數，抓住敵方頗眾（醜：眾），沒有災禍。上九的這一陽爻正是王威赫赫。

8　黃玉順《易經古歌考釋》（成都：巴蜀，1995），頁148。

第六章　〈下經〉

澤山咸（卦三十一）

（澤上山下）咸，亨，利貞，取女吉。

　　〈下經〉以〈咸卦〉為首，咸下加心為感，人皆有此內在的感受。咸者，皆也，都也，但不定立先天的心體。咸從內在的感受開始，由淺入深。由生理的感觸開始到心理的感受，由外而內。生理、心理互相影響，但由外而內是逐漸深入，都算感受。咸卦，亨通，有利於貞定自己，迎娶女人是吉利的。上卦大地坤體，下卦天道乾體。澤是山上的湖泊，如所謂天池印契入山，如天使的眼淚；澤軟化了山的權威。

初六　咸其拇（ㄇㄨˇ）。

　　感受從身體感受開始。感受到腳拇趾上，生理感受（觸覺）的末端，從此開始上升。

六二　咸其腓（ㄈㄟˊ），凶，居吉。

感受到小腿（腓：腿肚子）上了，因為近於禁令，凶險，居住不動是吉利的。

九三　咸其股，執其隨，往吝。

感受到了大腿（股：大腿），執意於其隨便，觸及禁令本身，再前進就會後悔。

九四　貞吉悔亡，憧憧（ㄔㄨㄥ）往來，朋從爾思。

貞定自己是吉利的，就不會有後悔。感受初從生理感影響到心理感：心志不定（憧憧：心志不定的樣子），往來不已，朋友也會和你一樣百般思慮，又有何益！

九五　咸其脢（ㄇㄟˊ），无悔。

感受到了胸口（脢：背脊肉），由前胸透到後背感受的深刻，是無悔的。因為你把感受提升到了感知（percept）：「力量與我們共鳴，和力量混合於我們自己生命的，並非人類形態主義，而是變化的符號：事物在其存在的方式中，在我們中共鳴。」[1]

上六　咸其輔頰舌。

---

[1]　Paul Patton edit. "Deleuze: A Critical Reader." (Cambridge: Blackwell, 1996), p.191.

感受到了臉頰、口舌，由臉的表情到了言語，由深刻的感受提升到愛。

雷風恆（卦三十二）

（雷上風下）恆，亨，无咎。利貞，利有攸往。

恆卦，亨通，沒有災禍。利於貞定自己，利於有前進的方向。上卦為雷，是天道乾體，下卦風，是大地坤體，上有雷的打擊，下有風的飄浮不定，人生需要長久的忍耐。

初六　浚（ㄐㄩㄣˋ）恆，貞凶，无攸利。

深刻（浚：挖深）恆久，挖深織廣，貞定凶險，沒有什麼利益。

九二　悔亡。

沒有悔恨。

九三　不恆其德，或承之羞，貞吝。

沒有將自己天生的特異性保持永久，就會蒙受羞辱。要貞定悔恨。

九四　田无禽。

在生活的領域（農田）中，沒有禽獸可狩獵，一無所獲。正入上卦遇陽剛的雷擊。

六五　恆其德，貞。婦人吉，夫子凶。

恆久保持天生的特異性，來貞定自己；對婦人吉利，對男人則凶險。男人面對生活，多少要開拓廣度的視野，增加生活的適應力。

上六　振恆，凶。

始終浮躁不安，有凶險。

天山遯（卦三十三）

（天上山下）遯（ㄉㄨㄣˋ），亨，小利貞。

遯卦，亨通，小利於貞定自己。上卦、下卦俱為天道乾體，天威赫赫，在山裡另有一個天地是供逃遁（遯，同遁），上下卦俱天道乾體，威權有一同質性。

初六　遯尾厲，勿用，有攸往。

〈初六〉是遯卦的尾巴，還是很嚴厲。天道威嚴加上〈艮卦〉的禁令，不要見用於世，有所前進的方向。

六二 執之用黃牛之革，莫之勝說。

天道威嚴和〈艮卦〉禁令抓住你，是用那麼堅固的黃牛皮革來綁住你，你是不能夠掙脫（說：同脫）的。

九三 係遯，有疾厲；畜臣妾，吉。

有所牽繫（係：牽繫），仍心繫王朝天威的逃遁，這種疾病纏身非常厲害。如果蓄養臣妾就吉利，會轉移對牽繫的注意。

九四 好遯，君子吉，小人否。

好的逃遁，「小隱在林，大隱在市」，逃遁堅持到〈九四〉，已到上卦的王朝天威中，君子吉利，小人則不吉利。

九五 嘉遯，貞吉。

嘉美的逃遁，貞定自己是吉利的。

上九 肥遯，无不利。

堅持逃遁，自始至終，美好的結果；逃遁至終是肥美的，沒有什麼不利的。

雷天大壯（卦三十四）

 （雷上天下）大壯，利貞。

大壯卦，利於貞定自己。上下卦俱天道乾體，都是陽剛，所以大壯，用在現實社會是爭強鬥狠，爭名奪利。

初九　壯于趾，征凶，有孚。

大壯初爻，只在身體的腳趾上。下卦天道乾體雖吉，出征則有凶險，內在仍有先天的特異性。

九二　貞吉。

貞定自己是吉利的。

九三　小人用壯，君子用罔（ㄨㄤˇ），貞厲。羝（ㄉㄧ）羊觸藩（ㄈㄢˊ），羸（ㄌㄟˊ）其角。

三爻俱陽剛，還是得收斂。小人用壯，太過橫行霸道，君子用網（罔：網）[2]，貞定自己是要嚴厲的。公羊（羝：雄羊）羝觸竹籬笆（藩：籬笆），毀損（羸：瘦弱）了牠的角。不能一味逞強，硬碰硬；這是經驗的智慧。

---

[2]　「罔，即網。說文，伏羲所結繩，以田以漁也。君子用罔以防備之也。……藩，即林，今俗謂之籬笆。」見胡樸安《周易古史觀》（臺北：明文，1989），頁148。

九四　貞吉悔亡，藩決不羸。壯于大輿之輹（ㄈㄨˋ）。

　　貞定自己就吉利。進入上卦，雷震的〈九四〉這爻恃強而行，莫有強過雷動者。竹籬笆被衝開缺口，羊角也未敗壞；用強用到了車子下面與軸相鉤連的木頭（輹：車子下面和軸相鉤連的木頭），碰到什麼都橫衝直撞，甚至撞車。

六五　喪羊于易，无悔。

　　羊角的剛強連四爻，進入天道乾體本不吉，此陰爻仍像竹籬笆。羊死得如此容易，用強者不知後悔。

上六　羝羊觸藩，不能退，不能遂。无攸利，艱則吉。

　　公羊牴觸竹籬笆，不能退也不能進，不能達到牠的目的（遂：成功）。沒有什麼利益，艱苦的話就吉利。尼采說：「使生命艱難些，就是藝術。」

火地晉（卦三十五）

（火上地下）晉，康侯用錫馬蕃庶，晝日三接。

　　晉（晉：進展）卦，康侯[3]用賞賜（錫：賜）的馬繁殖（蕃：

3　有以為指周武王之弟康叔，見顧頡剛《古史辨》III〈周易卦爻中的故事〉，這是《周易》的立場。但朱熹《周易本義》以為是「安國之侯也……多受大賜。」其實養馬在商朝才是歷史的大事件，商王有康丁，

繁殖）許多的馬，每天交配三次。這是在歷史上有進展的大事件，坤地牝馬本有可生產義。一爻一爻由大地坤體向天道乾體前進，此時天道乾體就是現實社會的習俗價值，故也是晉升之道。

初六　晉如摧如，貞吉；罔孚，裕无咎。

前進，後退（摧：退），在進退之間貞定自己是吉利的；不信的話，寬裕對待則沒有災禍。雖為〈晉卦〉，初爻是〈坤卦〉陰爻，為進退小心翼翼、不敢疏忽的狀態。

六二　晉如愁如，貞吉，受茲介福，于其王母。

前進啊！憂愁！貞定自己是吉利，受了這麼大（介：大）的福佑，來自於王母的賞賜。康侯與今王廩辛既為兄弟，「王母」亦為自己的母親。康侯繼兄廩辛後為王，這也實證母系社會「兄終弟及」的一種世襲制，故王母地位重要。

六三　眾允，悔亡。

如果能得到大眾的允許，就不會有後悔。

九四　晉如鼫（ㄕˊ）鼠，貞厲。

前進啊鼫鼠（鼫鼠，形似兔，尾短，眼紅），在地面上出

《史記‧殷本紀》誤為庚丁，是商王廩辛之弟，可能先被封侯。廩辛及康丁均曾用兵羌方，康丁武功卓著，為商朝第 27 位國君。

現，到火燄的位置，貞定自己要非常嚴厲。

六五　悔亡，失得勿恤，往吉无不利。

沒有後悔，失去所得不要憂煩（恤：憂），往前進是吉利的，沒有不利。

上九　晉其角，維用伐邑。厲吉无咎，貞吝。

前進到極點已到了獸角的位置，只是用來征伐城邦。很嚴厲就吉利，貞定自己的悔恨。

地火明夷（卦三十六）

 （地上火下）明夷，利艱貞。

明夷卦，利於堅貞持守。上卦大地坤體，下卦天道乾體，故離火的超越性往上飛升，離火是內在的，但有超越飛升的動能，也可以說潛能。同音異義是「鳴鵜」[4]，水鳥名。明是離火之明，老子說：「視之不見名曰夷。」（〈十四章〉）火在地中視之不見！離火可說是太陽，個體生命看不見的潛能。全卦卦體類似〈地天泰〉卦，但用於個人生命，利於以艱難貞定自己。

初九　明夷于飛，垂其翼。君子于行，三日不食，有攸

4　李鏡池《周易通義》，曹礎基整理（北京：中華，1981），頁71。

往，主人有言。

明夷之飛起還垂著翅膀。君子在生命中的實踐，可以念茲在茲，三日都不進食，有所前進的方向。我們都是自體生命中明夷的主人，決定自我生命的方向。

六二　明夷，夷于左股，用拯；馬壯，吉。

明夷，一直夷平到了左股，在身體的位置上是欲望的位置，先天的特異性上升到現實欲望的位置。故不要上升得太快，還是要用拯救的方式，以免沉淪於欲望之海。在生命現實的實踐中，馬壯是在牠的足上，吉利。

九三　明夷于南狩，得其大首，不可疾貞。

明夷在南邊的狩獵中，抓到大頭猛獸（大首：大頭猛獸）。雖然收穫很大，還是不要超越得太快，太快的貞定自己的方向。

六四　入于左腹，獲明夷之心，出于門庭。

上卦又是大地坤體，明夷到了左腹的位置，才真正獲得明夷的心意。腹是正面較股的位置要高，更上升到了心。這時才可以出門應對，不被社會的現實欲望迷惑。

六五　箕（ㄐㄧ）子[5]之明夷，利貞。

5　箕子為商朝帝文丁之子，帝乙之弟，紂王的叔父，官太師。箕子看紂王

〈六五〉相當於〈坤卦・六五〉侯王「黃裳」的位置，但下卦不是大地坤體，故只能在類似王侯的位置表現吉利不吉利。箕子的先天特異性，利於貞定自己。是按自己的潛能而非現實的欲望來貞定自己。

上六　不明晦，初登于天，後入于地。

不了解晦暗之道，剛開始登上了天，離火是太陽，後來進入大地的黑暗中。

風火家人（卦三十七）

 （風上火下）家人，利女貞。

家人卦，利於女人貞定自己。上卦為大地坤體，下卦為天道

用象牙筷子犀玉杯，擁珍奇寶物，吃山珍海味，箕子諫不聽；知商之末日已至，散髮佯瘋，與奴隸為伍，後被紂王囚。孔子曰：「殷有三仁」，「微子去之，箕子為之奴，比干諫而死。」（《論語・微子》）箕子曾對微子說：「商其淪喪，我罔為臣僕。」（《尚書・微子》）武王克商後，向箕子請教治國方略，箕子陳述自大禹時代傳下的九條大法，是為「洪範九疇」（《尚書・洪範》）武王封箕子於朝鮮，史稱「箕氏朝鮮」，封微子於宋國。孔子六世祖孔父嘉即為微子啟弟弟的九世孫，也是宋國第五任國君宋前閔公的六世孫。「箕氏朝鮮」多年後，箕子回來朝見周天子，路過殷商故都，吟詩曰：「麥秀漸漸兮，禾黍油油，彼狡童兮，不與我好兮。」說紂王是頑劣的小孩，不與他友好。殷遺民聞之皆痛哭流涕。推斷《歸藏》易成書期當在箕子佯狂被囚時期，但非箕子所作。

乾體，故當位為吉卦。

初九　閑有家，悔亡。

　　閑著，有多餘的精力成家，這樣，不會後悔。

六二　无攸遂，在中饋（ㄎㄨㄟˋ），貞吉。

　　也沒有什麼成功，在主持飲食上，貞定自己就吉利。

九三　家人嗃嗃（ㄏㄜˋ），悔厲吉。婦子嘻嘻（ㄒㄧ），
終吝。

　　家人相處嚴酷（嗃嗃：嚴酷的樣子），要後悔得非常嚴厲，
才吉利。太太小孩嘻嘻鬧鬧，終究有些後悔。

六四　富家大吉。

　　富欲的家庭大大吉利。

九五　王假有家，勿恤吉。

　　王已到家中，家中有貴人，不要憂煩，是吉利。

上九　有孚威如，終吉。

　　有天生的特異性來保持一種威嚴，終究是吉利的。

火澤睽（卦三十八）

 （火上澤下）睽（ㄎㄨㄟˊ），小事吉。

睽卦，小事情吉利。上卦為天道乾體，下卦為大地坤體，但上卦有一陰爻，下卦有一陽爻，故乖隔（睽：乖隔）可以轉圜的餘地。乖隔是乖違隔離，乖違是違背常理。

初九　悔亡，喪馬勿逐自復，見惡人无咎。

沒有後悔，喪失的馬不要去追逐牠，牠自會返回，見到惡人也沒有災禍。前三爻雖以天道乾體為較想，但有二陽爻，在此兩爻的位置上還可呼應。

九二　遇主于巷，无咎。

在巷子中遇到主人，沒有災禍；通常只在辦公時候遇到，狹路相逢是意外！也是例外！

六三　見輿曳（一せˋ），其牛掣（ㄔㄜˋ），其人天且劓（一ˋ），无初有終。

人把車子往後牽引（曳：牽引），牛往前牽引（掣：牽引），這車夫受了截髮之刑（天：髡（ㄎㄨㄣ）首，截髮之刑），又受割鼻之刑（劓：古時割鼻的刑罰），真是乖違之至。但沒有好的開始，有好的結束。天譴的例外，現實總與他作對！

九四　睽孤，遇元夫，交孚，厲无咎。

　　睽違孤單，遇上了大丈夫，以自己天生的特異性相交往，剛開始雖然嚴厲，但沒有災禍。真正到上卦，是離火之明，就有火水未濟的味道；違背常理的乖違，往好的方向發展。

六五　悔亡，厥宗噬（ㄕˋ）膚，往何咎。

　　沒有後悔，他的同宗人宴饗於宗廟吃肉[6]，去了沒有災禍。

上九　睽孤，見豕（ㄕˇ）負塗，載鬼一車，先張之弧，後說之弧。匪寇婚媾，往遇雨則吉。

　　睽違孤單，見到滿身是泥的豬，載滿有圖騰面具打扮的人。先搭弓射箭（弧：弓箭）想要射人，後又鬆弓垂箭，他們並非賊寇，而是前來結婚的。前往遇到雨就吉利，就會鬆動威權的力量。

水山蹇（卦三十九）

（水上山下）蹇，利西南，不利東北，利見大人，貞吉。

　　蹇卦，是一種艱難的情境（蹇：艱難），在山之上有水險而

6　「厥宗噬膚，疑指宴饗之事而言。古人宴饗之禮在宗廟行之。」見高亨《周易古經新注》（臺南：綜合，1987），頁133。

非湖泊之美。但上卦為大地坤體，下卦為天道乾體，此卦基本上吉利。在艱難之中要忍耐，小說家趙滋蕃（1924-1976）說：「人生是長久的忍耐。」有利於西南方向在大地試探前進，不利於東北方向服從族長權威，利於顯現偉大的人物。

初六　往蹇來譽。

往前去遭遇坎陷的艱難，固守山下得到保障，不前進而榮譽自來。

六二　王臣蹇蹇，匪躬之故。

王臣之間的情況非常艱難，這並不是因為臣子自身的緣故。而是因為〈艮卦〉最上一爻橫阻在那裡，自然有壓力。

九三　往蹇來反。

再往前進就遇到上卦坎陷的艱難，就返回（反：返回）原來的地方。

六四　往蹇來連。

過了〈艮卦〉山的禁止、阻止，往前進就在艱難的情境中，有些志同道合的朋友前來連合，在關係中產生聯合的力量。

九五　大蹇朋來。

在最艱難的情境中，朋友前來支援，得以度過難關。

上六　往蹇來碩，吉，利見大人。

朝往艱難的情境中，度過坎陷，得來的是豐碩的成果，有利於顯現偉大的人物。

雷水解（卦四十）

（雷上水下）解，利西南，无所往，其來復吉。有攸往，夙（ㄙㄨˋ）吉。

解卦，解放（解：解放），有利於西南方向，沒有前進的方向，前往會碰到力量強大的雷的打擊。所以回來又是吉利的，平靜沉澱後獲得前進的方向，早去（夙：早）是吉利的。

初六　无咎。

沒有災禍。

九二　田獲三狐，得黃矢，貞吉。

在田裡獲得三隻狐狸，還帶著黃箭頭，貞定自己才吉利。

六三　負且乘，致寇至，貞吝。

背負著東西又乘在車駕上，令人覺得背負的東西貴重，惹人

注目，令賊寇起盜心而前來，要貞定自己可能引起悔恨的行為。在此爻坎陷已成，所以寇至。

九四　解而拇，朋至斯孚。

跨過坎陷，還有雷擊的力量，解放只解放到腳拇趾。只有朋友來到這裡，才可信，解放才能成。朋友是群體，有群體的力量。

六五　君子維有解，吉，有孚于小人。

過了雷擊的力量，君子被綁縛（維：束縛），而得以解放，是吉利的，有信於小人。

上六　公用射隼（ㄓㄨㄣˇ）于高墉（ㄩㄥ）之上，獲之无不利。

公侯射箭，在高牆（墉：高的牆）之上射中猛禽（隼：像鷹而較小，能捕鳥兔），已成為有強大力量的公侯，故能射獲猛禽，沒有不吉利。

山澤損（卦四十一）

（山上澤下）損，有孚，无吉，无咎，可貞，利有攸往。曷之用，二簋（ㄍㄨㄟˇ）可用享。

損卦，減損，有信實，沒有吉利沒有災禍，可以貞定自己，

有利於前進的方向。減損下來的要做什麼呢？兩竹籃（簋：古時祭祀或宴客，用以盛黍稷的竹器）的黍稷可以用來祭祀。上卦天道乾體，下卦大地坤體，均不當位，无吉，以上下兩自然物象的關係看，是澤去損山。

初九　已事遄（彳ㄨㄢˊ）往，无咎，酌損之。

　　辦完事情就迅速（遄：迅速）前進，沒有災禍，斟酌著減損一些。

九二　利貞，征凶，弗損益之。

　　利於貞定自己，出征則有凶險，換言之，會耗損，即減損。不出征，無減損，就是一種增益。

六三　三人行，則損一人。一人行，則得其友。

　　三人同行，兩人意見相同，一人被孤立，就減損一人。這是減損。一人行路，孤單之際，遇到路人，可以同行為友，這是增益。故一人孤單行進，是減損，反有可能增益友人。

六四　損其疾，使遄有喜，无咎。

　　減損進至上卦，減損自己的疾病，使自己馬上喜悅高興，沒有災禍。減損至上卦，首先去疾。

六五　或益之十朋之龜，弗克違，元吉。

　　或者有人贈給你價值五十貝（朋：古貨貝，五貝為朋）的大龜，這是增益，而且不能夠違背，在源頭上吉利。減損至上卦二爻，又得大利。

上九　弗損，益之，无咎。貞吉，利有攸往，得臣无家。

　　沒有減損，就是增益，沒有災禍。貞定自己是吉利的，有利於前去的方向，會得到天下的眾民臣服。故減損至上卦最上一爻，反自成君王。

風雷益（卦四十二）

（風上雷下）益，利有攸往，利涉大川。

　　益卦，就是增益，利於有所前進的地方，有利於前進過大河。上卦屬大地坤體，下卦屬天道乾體，可謂吉卦。男兒志在遠方！雷動於下，隨風而行；即「雷厲風行」！依損卦的減損而為全民仰望益卦的增益，以全民福祉為念。

初九　利用為大作，元吉，无咎。

　　有利於用來大大有所作為，在根源上是吉利的，沒有災禍。

六二　或益之十朋之龜，弗克違，永貞吉，王用享于

帝,吉。

　　或有人贈給你價值五十貝的大龜,而且不能夠違背;永遠的
貞定自己是吉利的,王侯可用來祭祀上帝,吉利的!

六三　　益之,用凶事,无咎。有孚,中行,告公用圭。

　　增益百姓,在凶歲凶年即災荒之年,賑濟百姓,沒有災禍。
有信實,雷動的力量依中道而行,陽爻雷動,二爻表示君王的身
分,三、四二爻均為陰爻,陰爻兩斷中間空虛為雷動行進處,空
虛處形成中道,君王正在途中。告訴公爵,要開糧倉賑濟,用圭
玉(圭:古時王侯祭祀或朝聘用的美玉)作為信物。

六四　　中行,告公從,利用為依遷國[7]。

　　中行就是在路中,告訴公爵而依從,也要以利民之事為依據
來遷移國都。

九五　　有孚惠心,勿問,元吉。有孚,惠我德。

　　有信實,和順的風即惠風落在心裡,不用再去追問占卜,根
源上是吉利的。有信實,嘉惠我先天的特異性。

7　公元前 1300 年,商君盤庚為商朝第十七位國君,從奄(今山東省曲阜
　市)遷都於殷(今河南省安陽市),史稱「盤庚遷殷」,國都才穩定下
　來。

上九　莫益之，或擊之，立心勿恆，凶。

不去增益百姓福祉，甚或擊打他們；持守心意不能長久，會帶來王國的凶險。

澤天夬（卦四十三）

（澤上天下）夬（《ㄨㄞˋ），揚于王庭，孚號有厲，告自邑，不利即戎，利有攸往。

夬卦，決而不疑（夬：決而不疑）要在君王的朝廷中顯揚，信實的聲名也有嚴厲的地方，告訴自己治理的城邦，如有不利於朝廷，就兵戎相見，會前去征伐！利於有所前進。上卦大地坤體，下卦天道乾體，所以利於有所前進。

初九　壯于前趾，往不勝，為咎。

決心的強烈只到腳的前趾上，如此前往不能勝過，是災禍。

九二　惕號，莫夜有戎，勿恤。

以憂懼而來呼召，黃昏（莫：同暮）有兵戎事，不要憂慮。

九三　壯于頄（ㄎㄨㄟˊ），有凶。君子夬夬，獨行遇雨，若濡（ㄖㄨˊ）有慍（ㄩㄣˋ），无咎。

決心的強烈到了顴骨（頄：顴骨）上，決心的強烈太過明

顯，有凶險。君子果決，獨自前行遇到下雨，好像被雨淋濕，但有了怨怒（慍：怨怒），沒有災禍。三爻皆陽爻，過於陽剛強烈；第三爻將遇上卦的水澤，故遇雨。

九四　臀无膚，其行次且（ㄗㄐㄩ）。牽羊悔亡，聞言不信。

臀部沒有肉，是起路來想前進又不敢前進的樣子（次且：同趑趄，更想前進而不敢前進的樣子）。你如果牽了頭羊，有了羊就會後悔失去了牠，這種話別人聽了也不會相信！這是剛到上卦，上卦為澤卦，要適應湖泊的形態。

九五　莧（ㄒㄧㄢˋ）陸夬夬，中行无咎。

莧陸（莧陸：多年生草本，一名「商陸」。）決心行進，向中而行遇上六的陰爻，中間的空虛可以行進，沒有災禍。

上六　无號，終有凶。

只有決心，無法號召，終究不確定方向，會有凶險。

天風姤（卦四十四）

（天上風下）姤，女壯，勿用，取女。

姤卦，女人的勢力向上伸展，不要任意使用，真正的遇到女

人，是要娶她。姤（姤：美好）本身是美好，故此卦是美好的事向上伸展，是吉卦。上卦天道乾體，下卦大地坤體。

初六　繫于金柅（ㄋㄧˇ），貞吉。有攸往，見凶。羸豕孚蹢躅（ㄓˊ ㄓㄨˊ）。

　　繫在包金的止車輪的木條（柅：止車輪的木條）上，貞定自己是吉利的。陰爻流動，繫在陽爻下不浮動。有所前進的方向，想要有所表現或顯露反而凶險。瘦弱（羸：瘦弱）的豬內在的能量也只能止步而難以行進（蹢躅：蹢為獸蹄，同「躑」，止步。行不進的樣子。）。

九二　包有魚，无咎，不利賓。

　　雖然包著一條魚，魚指初六的陰爻，魚柔弱地行進，被陽爻包起，沒有災禍。不利於會見賓客。

九三　臀无膚，其行次且，厲，无大咎。

　　臀部沒有肉，走起路來想前進又不敢前進的樣子，雖然情況很嚴峻，但沒有大的災害。

九四　包无魚，起凶。

　　初遇天道乾體，並未包裹著陰爻，起動了凶險。

九五　以杞（ㄑㄧˇ）包瓜，含章，有隕（ㄩㄣˇ）自天。

以枸（ㄍㄡˇ）杞（杞：枸杞）包著甜瓜，內含美好的形式，有些什麼從天上降落下來。

上九　姤其角，吝，无咎。

再往前進，姤卦就進行到頭上的角的部位了，角的尖銳造成悔恨，但沒有災禍。這還是以柔軟動搖最上位的權威。

澤地萃（卦四十五）

（澤上地下）萃（ㄘㄨㄟˋ），亨。王假（ㄍㄜˊ）有廟，利見大人，亨，利貞。用大牲吉。利有攸往。

萃卦，亨通，萃（萃：草茂盛）地上有湖泊，當然草茂盛豐美。君王到的地方有他的廟宇，利於顯現偉大的人物，有利於貞定自己。亨通，有利貞定自己。用較大的牲口來祭祀，顯得莊嚴隆重，是吉利的。有利於有所前進的方向。

初六　有孚不終，乃亂乃萃，若號，一握為笑，勿恤，往无咎。

有內在的動力不能持久，於是紛散雜亂，於是野草的生長。好像號啕大哭，朋友握手合作就轉為大笑。不要憂愁，只要前往，沒有災禍。

六二　引吉，无咎。孚乃利，用禴（ㄩㄝˋ）。

　　向前牽引吉利，沒有災禍。內在的動力才吉利，用春天的祭祀（禴：同礿（ㄩㄝˋ），夏、商春祭，周改為夏祭），春天的祭祀，野草的生命力是春天的活力。

六三　萃如嗟如，无攸利。往无咎，小吝。

　　只是野草如此生長，也如此嗟歎，沒有獲得什麼利益。向前進並沒有災禍，小有悔恨。

九四　大吉，无咎。

　　大大的吉利，沒有災禍。只是自己生命的成長，往前進行！

九五　萃有位，无咎。匪孚，元永貞，悔亡。

　　野草的生長有其尊貴的君位，沒有災禍。不是內在的動力能達到這樣，在源頭上永遠貞定自己，就沒有懊悔。

上六　齎咨（ㄐㄧㄗ）涕洟（ㄧˊ），无咎。

　　嗟歎（齎咨：嗟歎之辭）不已，痛哭流涕（洟：鼻液），沒有災禍。進至〈上六〉，仍是大地坤體，且為陰爻，故嗟歎，但有野草的生命力。

地風升（卦四十六）

（地上風下）升，元亨，用見大人，勿恤，南征
吉。

升卦，源頭是亨通的，用以顯現偉大的人物。不要憂愁，南
征是吉利的。在地中，風向上吹起，下卦為風，屬大地坤體，上
卦為地，即大地坤體。

初六　允升，大吉。

能夠向前升進，大大的吉利。上卦有三虛爻，可以前進。

九二　孚，乃利；用禴，无咎。

內在的動力，是有利的；用春天的祭祀，沒有災禍。

九三　升虛邑。

升進到空虛之城。

六四　王用亨于岐山，吉，无咎。

君王在岐山祭祀，吉利，沒有災害。

六五　貞吉，升階。

貞定自己是吉利的，上升到台階之上。

上六　冥升，利于不息之貞。

在沒有光的所在中上升，有利於永不止息地貞定自己。

澤水困（卦四十七）

（澤上水下）困，亨。貞大人吉，无咎。有言不信。

困卦，亨通，貞定偉大的人物是吉利的，沒有災禍。雖這樣說，但沒人相信。在困難中如何顯達？下卦為坎，大地坤體，在坎陷中向上昇進。上卦為澤，仍為大地坤體。

初六　臀困于株木，入于幽谷，三歲不覿（ㄉㄧ）。

臀部困於木根，又進入到幽黑的山谷中，三年不能見面（覿：見面）。〈九二〉是木根，坎陷三爻為所謂三年。

九二　困于酒食，朱紱（ㄈㄨ）方來，利用享祀，征凶，无咎。

受困於酒食的需要，紅色的祭服（紱：祭服）才來，可以利用來獻上（享：獻上）祭祀。出征有凶險，沒有災禍。

六三　困于石，據于蒺藜。入于其宮，不見其妻，凶。

受困於石頭，依憑著帶刺的蒺藜（蒺藜：果子三角四刺），

這是艱澀的處境，困頓！回到了家中看不到自己的妻子，那是凶險。

九四　來徐徐，困于金車，吝，有終。

來得很慢，脫離了坎陷，受困於黃金打造之車，在社會上享有名望。有悔恨，也能持續到最後。

九五　劓（一ˋ）刖（ㄩㄝˋ），困于赤紱（ㄈㄨˊ），乃徐有說，利用祭祀。

割鼻（劓：古時割鼻的形罰）割腳（刖：古時把兩隻腳割去的一種刑罰）的刑罰，受困於紅色的祭服（紱：祭服）。於是慢慢可以解脫，有利於用來祭祀。嚴厲的刑罰來自於迷信；打破迷信才能解脫，解脫的方式利於用來祭祀。

上六　困于葛（ㄍㄜˊ）藟（ㄌㄟˇ），于臲卼（ㄋㄧㄝˋ ㄨˋ）曰動悔有悔，征吉。

受困於蔓（葛：蔓生的草）藤（藟：蔓草名，即藤）的纏繞，世事如此糾葛！在不安（臲卼：不安的樣子）中說：動輒有悔，後悔先前的過失，出征是吉利的。

水風井（卦四十八）

（水上風下）井，改邑不改井，无喪无得，往來井井。汔（ㄑㄧˋ）至亦未繘（ㄐㄩˊ）井，羸其瓶，凶。

井卦，可以修改城池，不可以把井改換位置，沒有喪失也沒有獲得。人們來來往往，到處是水井。水井乾涸（汔：水乾涸），也沒用汲水繩（繘：汲水索）來汲井水，盛水的瓶子都摔壞了，有凶險。

初六　井泥不食，舊井无禽。

井中有泥，無法食用。廢棄的舊井，連禽鳥也不再來。

九二　井谷射鮒（ㄈㄨˋ），甕敝漏。

井底的水只夠射鯽魚（鮒：鯽魚，形像鯉，無鬚），汲水的甕破漏。

九三　井渫（ㄒㄧㄝˋ）不食，為我心惻，可用汲，王明，並受其福。

井除去了污泥（渫：除去穢濁）卻無人飲用，這使我心裡感到不忍（惻：心裡有所不忍）。可以用汲水的方式，君王智慧，並蒙受福氣。

六四　井甃（ㄓㄡˋ）无咎。

井用磚砌成各種花紋（甃：拿磚砌成各種花紋），沒有災禍。進至六四，上卦為坎，水現。

九五　井冽寒泉食。

井水冷冽（冽：非常寒冷的樣子），成為一口寒泉，可以食用。

上六　井收勿幕，有孚，元吉。

汲水完收了汲水繩，不要封蓋，保持內在有水，與根源相通，是吉利的。

澤火革（卦四十九）

（澤上火下）革，已日乃孚，元亨利貞，悔亡（ㄨˊ）。

革卦，已然經過離火的烈日，才有內在的動力，故而「已日」要經過前三爻到第四爻。源頭是亨通的，有利於貞定自己，就會沒有後悔。上卦為大地坤體，下卦為天道乾體，由離火的烈日往悅人的湖泊前進。

初九　鞏用黃牛之革。

鞏固自己用黃牛的皮革，堅定自己的決心要銳意變革。

六二　已日乃革之，征吉，无咎。

已經過烈火的變化，昔日的舊價值要變革，出征是吉利的，沒有災禍。

九三　征凶，貞厲。革言三就，有孚。

出征有凶險，貞定自己要非常嚴厲。變革要三次才能成就，有內在的動力。

九四　悔亡，有孚改命，吉。

沒有後悔，有內在信實的力量改變命運。僵化的舊價值成為新的流動，吉利。

九五　大人虎變，未占有孚。

偉大的人物變成一老虎（虎變（becoming-tiger）：不是真的變成老虎，而是生命內在的力量與老虎有一無可辨明的地帶），還沒有占卜就有內在信實的動力。變成老虎，花紋彪炳，雄壯威猛，昔日的舊價值已被變革，老虎是英雄果敢的哲學。偉大的人物和老虎之間有一無可辨明的地帶。

上六　君子豹變，小人革面，征凶，居貞吉。

君子是變成－豹（becoming-leopard），煥發美麗的紋采，民眾只是變革了臉的表面，也有外在的變化。出征是凶險的，用定居來貞定自己是吉利的。

火風鼎（卦五十）

 （火上風下）鼎，元吉亨。

鼎卦，根源上是吉利、亨通的。

初六　鼎顛趾，利出否。得妾以其子，无咎。

鼎顛倒了！〈初六〉在上下卦中屬「腳趾」的部位。放顛倒又變成〈澤火革〉了。至少初爻成陽爻，下卦就成天道乾體，不在上而在下，舊價值觀已被顛倒，鼎就代表國家的價值觀！一顛倒就把不好的（否（ㄆㄧˇ）：不好）倒掉！是因為在她生命中與天真無邪的孩子為一體，我才得到一個美妾。

九二　鼎有實，我仇有疾，不我能即，吉。

鼎中有烹煮的食物，我的仇人有疾病，不能靠近我，吉利。

九三　鼎耳革，其行塞。雉（ㄓˋ）膏不食。方雨，虧悔，終吉。

鼎耳發生改變，原來要貫入扛鼎的器具才可移動，現在移動

鼎的位置發生困難。在鼎中雉雞肉味鮮美，沒人來吃。正下雨，後悔會消退，終究會吉利。

九四　鼎折足，覆公餗（ㄙㄨˋ），其形渥（ㄨㄛˋ），凶。

鼎足折斷了，傾倒了大家放在鼎裡的食物（餗：放在鼎裡的食品），弄得到處一團糊糊的（渥：用濃的東西塗），有凶險。

六五　鼎黃耳，金鉉（ㄒㄩㄢˋ），利貞。

鼎耳是黃的，插入黃金的扛鼎器具（鉉：扛鼎的用具），有利於貞定自己為公卿的貴族身分。

上九　鼎玉鉉，大吉，无不利。

鼎耳有由玉製成的扛鼎用具，代表身分極其尊貴，大大的吉利，沒有不利的。

震為雷（卦五十一）

（雷上雷下）震，亨。震來虩虩（ㄒㄧˋ），笑言啞啞；震驚百里，不喪匕鬯（ㄅㄧˇ ㄔㄤˋ）。

震卦，亨通。打雷的時候，先是恐懼的樣子（虩虩：恐懼的樣子），啞啞地（啞啞：笑聲）發出笑聲。這就是雷擊的力量，先在心理上對大自然的威力感到震驚而恐懼，而後慢慢恢復平

靜。哲學家康德認為「美」（beautiful）與對象的形式相聯結，「崇高」（sublime）卻在無形式的對象中被發現。「美直接帶著生命的感覺，可與媚力和想像的遊戲相容。但崇高感卻是間接引起的愉快，它是生命力暫時受到阻礙的感覺所產生，生命力繼則更強地滿溢。……」[8]大自然的威力引起心中自然的感應。如〈初九〉有「後」字，而此處無。生命力已至崇高的狀態！別人恐懼，自己發出笑聲。打雷時震驚百里，大家驚駭相視，自己連酒勺子（匕：湯匙，鬯：酒）都未灑落一點酒。

初九　震來虩虩，後笑言啞啞，吉。

　　打雷的時候心裡感到恐懼，「後來」平靜下來，發出啞啞的笑聲，吉利。

六二　震來厲，億喪貝。躋（ㄐㄧ）于九陵，勿逐，七日得。

　　打雷的時候雷霆萬鈞，閃電疾雷，想（億：料度）是丟失了很多寶貝。直到平心靜氣，登高（躋：登，升）到高陵之上，一種崇高感油然而生，不要追回失去的東西，七天後自然復得。

六三　震蘇蘇，震行无眚。

　　打雷時畏懼不安的樣子（蘇蘇：畏懼不安的樣子），但能如

8　"Kant's Critique of Judgment." J. H. Bernard trans. (London: Macmilian, 1914), p.101.

雷般行進，沒有災禍。

九四　震遂泥。

打雷之後，陷入泥濘之中。入了上卦，雷上加雷，致泥濘不堪，寸步難行。人生經歷重擊，成為泥人，木然不動。

六五　震往來厲，億无喪有事。

震動了往昔及未來都非常嚴厲，想是（億：料度）雖不至死，但也發生了什麼事故。

上六　震索索，視矍矍（ㄐㄩㄝˊ），征凶。震不于其躬于其鄰，无咎。婚媾有言。

打雷時心裡不安（索索：心不安的樣子），左右驚視（矍矍：左右驚視），無法平靜，這樣出征會有凶險。雷擊不到其自身而到了鄰人身上，沒有災禍！民間嫁娶是這樣說的。

艮為山（卦五十二）

（山上山下）艮其背，不獲其身；行其庭，不見其人。无咎。

禁止別人在他的身後，別人就獲得不了他的身體；走過他的庭院，看不見他。他已禁止他自己在人前顯現，又怎麼會有災禍呢？沒有災禍。

初六　艮其趾，无咎，利永貞。

　　禁止到了腳趾頭，就不能移動，沒有災禍，有利於永遠貞定自己。

六二　艮其腓（ㄈㄟˊ），不拯其隨，其心不快。

　　禁止到了小腿肚上（腓：小腿後面筋肉突出的部分，俗稱腿肚子。）上，即禁止行動，卻沒有拯救跟隨（隨：跟隨）聽從命令而行的生活方式，心理上不快活。

九三　艮其限，列其夤（一ㄣˊ），厲薰心。

　　禁止到了門下的橫木（限：門下的橫木，門限），三爻是一橫木，下卦禁令之所在，禁止跨越門檻，也就是大門不出、二門不邁，不出門！羅列出社會攀附求進的關係（夤：攀附求進，走門路），太過嚴重地影響心理活動。

六四　艮其身，无咎。

　　禁止到了整個身體上，盡量避免接觸，沒有災禍。

六五　艮其輔，言有序，悔亡。

　　禁止到了臉頰（輔：面頰骨），言語要有形式和次序。言語要謹慎，小心口舌，就不會後悔。

上九 敦艮，吉。

敦厚地自己限制、禁止自己，是吉利的。不止把社會外在的禁令，化為自己內心修養的活動；而是閉門自守。

風山漸（卦五十三）

（風上山下）漸，女歸吉，利貞。

漸卦，女子嫁人是吉利的，有利於貞定自己。風對於山的影響是漸漸的，有時間的因素，以大雁的行動來表現。艮是天道乾體，巽是大地坤體，巽是「少女」。

初六 鴻漸于干。小子厲，有言，无咎。

大雁（鴻：水鳥名，大的雁）漸漸靠近水邊（干：水邊），小孩也到水邊去有了危險，有人這樣說，沒有災禍。

六二 鴻漸于磐，飲食衎衎（ㄎㄢˋ），吉。

大雁漸漸靠近河邊的大石頭（磐：大石），吃魚、喝水，飲食和樂（衎衎：和樂的樣子），吉祥。

九三 鴻漸于陸。夫征不復，婦孕不育，凶。利禦寇。

大雁漸漸靠近陸地。〈九三〉正在下卦禁令的位置，丈夫出

征尚未返回，婦人懷孕無法生育、養育，有凶險。但〈山卦〉這一橫槓有利於抵禦賊寇。凶險與利於保全生命都在人類生活圈。〈九三〉在禁制這爻，本有凶險。

六四　鴻漸于木，或得其桷（ㄐㄩㄝˊ），无咎。

大雁漸漸靠近樹木，或許得到屋角的斜枋檀木（桷：屋角的斜枋）可以棲息，靠近了人類家宅，沒有災禍。已在人類居住的高處。

九五　鴻漸于陵，婦三歲不孕，終莫之勝，吉。

大雁漸漸靠近丘陵，高度再提高。婦女三年沒有懷孕，就算她沒有懷孕，但她已有超出人類社會的高度，還是沒有人勝過她，吉利。大雁和婦人是並列句法。

上九　鴻漸于陸，其羽可用為儀，吉。

大雁漸漸靠近陸地，是「上去了，再下來！」牠的羽毛可表現人類的美風儀，吉利。上卦為巽，本是風義。在大地坤體中，巽為少女，雁飛行之姿。

雷澤歸妹（卦五十四）

（雷上澤下）歸妹，征凶，无攸利。

歸妹卦，出征有凶險，沒有什麼吉利。上卦為天道乾體，下卦為大地坤體，是守舊的。

初九　歸妹以娣（ㄉㄧˋ），跛能履，征吉。

嫁女嫁的是次女（娣：同父母的女子，先出生的為姒，後出生的為娣），即使跛腳也能走路，出征是吉利的。何管長女、次女。

九二　眇（ㄇㄧㄠˇ）能視，利幽人之貞。

即使瞎了一隻眼也能看到，有利於幽居在家的人來貞定自己，出門只是爭名奪利、爭是非。

六三　歸妹以須，反歸以娣。

嫁女是必須的事，反而嫁了她的妹妹。下卦〈澤卦〉為次女，以〈六三〉陰爻表現。

九四　歸妹愆（ㄑㄧㄢ）期，遲歸有時。

嫁女遷延了時日，雖然遲嫁，但還是有其時間。

六五　帝乙歸妹[9]，其君之袂（ㄇㄟˋ），不如其娣之袂

9　帝乙（前1101－前1076）為帝辛（商紂王）之父，在位26年。帝乙在位期間商朝已趨於沒落，遷都朝歌。「帝乙居殷，二年，周人伐商。」（《竹書紀年》）此時商王朝人方叛亂，為避免兩面受敵，帝乙決定將女兒嫁給西伯昌（即周文王），即「和親」。

良。月幾望,吉。

　　商王帝乙嫁女(妹:女兒),帝乙的衣著(袂:衣袖)不如其女的華麗貴重。月亮幾乎滿月,吉利。

上六　女承筐无實,士刲(ㄎㄨㄟ)羊无血,无攸利。

　　〈九四〉以上「筐」形,下卦為次女,故為「女承筐」,空虛無實,切割(刲:切割)羊卻沒有血,沒有什麼吉利。

雷火豐(卦五十五)

　　(雷上火下)豐,亨,王假(ㄍㄜˋ)之。勿憂,宜日中。

　　豐卦,亨通。君王降臨(革:至,到),不要憂慮。適宜日中正午,因為離火太陽落實在我們生命的實踐中,正午的太陽應無陰影,最好保持日正當中。上卦的〈雷卦〉造成晦暗的變化。

初九　遇其配主,雖旬无咎,往有尚。

　　遇到與自己力量相匹配的主人,在十天(旬:十天)之內沒有災害。往前行進,有崇尚的目標。

六二　豐其蔀(ㄅㄨˋ),日中見斗,往得疑疾,有孚發若,吉。

豐盛到了遮蔽光線（蔀：遮蔽光線的東西），日正當中見到北斗七星，日食的現象，再往前進就會懷疑自己得到疾病。有內在信實的動力發出來，吉利。

九三　豐其沛，日中見沬（ㄇㄟˋ），折其右肱（ㄍㄨㄥ），无咎。

豐盛到了充沛，日正當中見到了昏暗（沬：微暗），右手臂（肱：從肘到腕的部分）折斷，沒有災禍。

九四　豐其蔀（ㄅㄨˋ），日中見斗，遇其夷主，吉。

豐盛到了遮蔽光線，日正當中卻看到北斗七星。打雷總是濃雲中的閃電，與日正當中力量相當，是與之相匹敵的主人，吉利。

六五　來章，有慶譽，吉。

過了閃電，內在爆發的力量蘊育出美好的形式，有慶賀及名譽。吉利。

上六　豐其屋，蔀其家，闚（ㄎㄨㄟ）其戶。闃（ㄑㄩˋ）其无人，三歲不覿（ㄉㄧˊ），凶。

大其屋宇，卻遮蔽了原本的家，從窗戶往裡面窺伺，寂靜（闃：寂靜）無人，三年見不到面（覿：兩人互相見面），有凶險。

火山旅（卦五十六）

 （火上山下）旅，小亨，旅貞吉。

小小的亨通，行旅在外能貞定自己就吉利。火附麗於山上是美麗的景象。這是距離的關係，隔著距離看，美麗；近距離看，是輕易涉險，哀傷。

初六　旅瑣瑣，斯其所取災。

行旅在外都是細碎小事，勞精費神，是自己所找來的災禍。

六二　旅即次，懷其資，得童僕貞。

行旅在外隨處（次：處所，地方）尋找住宿，懷著自己的資金，有僮僕可以伺候要貞定自己。

九三　旅焚其次，喪其童僕貞，貞厲。

行旅在外，客舍焚燬，喪失了伺候自己的僮僕，也要貞定自己。接近上卦離火，情況嚴峻！

九四　旅于處，得其資斧，我心不快。

行旅在外有其住處，得到一筆錢財（斧：仿農具鑄的錢幣）但飄流在外，心中不快樂。

六五　射雉（ㄓˋ）一矢亡，終以譽命。

　　射野雞要用掉一枝箭，尋求美景也要付出代價；但行旅在外也無非要求得名與利，最終得到名譽和爵位。

上九　鳥焚其巢，旅人先笑後號咷，喪牛于易，凶。

　　「鳥焚其巢」是美麗而哀傷的意義！上卦為離，離為火，離亦為鳥名，同「鸝」，黃鶯，故為鳥焚燒了自己的巢穴，打字謎。行旅在外，先是看到美麗的景象，後又喪失原來更美的事物，先是高興而笑，後號咷大哭。太輕忽，故而丟失了牛，凶險，是行旅乃輕易涉險，付出的代價太大！

巽為風（卦五十七）

　（風上風下）巽，小亨，利有攸往，利見大人。

　　巽卦，小小的亨通，有利於有所前進的方向，有利於顯現偉大的人物。巽是入的意思，風入於一切事物。

初六　進退，利武人之貞。

　　進退之間，有利於武人的決斷來貞定自己。因為進退之間是生命的事，要以身體的保全或損傷來考慮進退。此爻如格言！

九二　巽在床下，用史巫紛若，吉无咎。

風的流動在床下，就像用了很多祝史司祭，巫以降神，是吉利而沒有災禍的。

九三　頻巽，吝。

風的流動太頻繁，造成悔恨。到〈九三〉下卦巽體已成，上卦也是巽體，故太頻繁。

六四　悔亡，田獲三品。

沒有後悔，在田中打獵獲得三種獵物。

九五　貞吉，悔亡，无不利。无初有終，先庚三日，後庚三日，吉。

貞定自己是吉利的，沒有後悔，沒有什麼不利的。沒有開端，卻能持守到終局，進退之間是生命的藝術。先於庚的三日即丁日，庚以後的三日即癸日（庚：天干為甲、乙、丙、丁、戊、己、庚、辛、壬、癸），從丁至癸日共七日，是吉利的。七日為一單元。

上九　巽在床下，喪其資斧，貞凶。

風的流動在床下，喪失了生活所需的資金，要貞定凶險。

兌為澤（卦五十八）

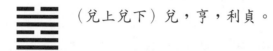 （兌上兌下）兌，亨，利貞。

兌卦，亨通，有利於貞定自己。兌是喜悅，加言為說，也涉及言談應對。

初九　和兌吉。

和順的喜悅是吉利的。

九二　孚兌吉，悔亡。

有內在動力的喜悅是吉利的，沒有後悔。

六三　來兌凶。

兌體已成，在下卦，故有凶險；在刺激與反應間的喜悅會帶來凶險。在刺激和反應之間要留下緩衝地帶。

九四　商兌未寧，介疾有喜。

在商談之間有些不安寧，就算介於邪害之間也能痊癒。

九五　孚于剝，有厲。

有內在信實的動力於被人剝削之間，情況嚴峻。

上六　引兌。

上卦兌體已成，兌是喜悅，引人喜悅。

風水渙（卦五十九）

（風上水下）渙，亨，王假有廟，利涉大川，利貞吉。

渙卦，亨通，君王來到廟裡祭拜，有利於跋涉過大河，有利於貞定自己而吉利。風行在水面上可以有美麗的水紋！

初六　用拯，馬壯，吉。

渙散剛開始，要用拯救的；馬壯則有健行堅毅，吉利。

九二　渙奔其機，悔亡。

渙散能夠奔赴適當的時機，沒有後悔。

六三　渙其躬，无悔。

渙散只到其自己身上，沒有後悔。

六四　渙其群，元吉。渙有丘，匪夷所思。

渙散解除了他的群體、同夥，回歸到自己身上；在生命裡做決定的不是「他人」，而是自己。必須孤獨地面對自己。渙散居

然還可以登上丘陵的高位，不是一般人能想見的。

九五　渙汗其大號，渙王居，无咎。

　　渙散到大的命令，在大的命令中，流出一身大汗，因為知道影響層面廣大而焦慮。渙散君王的居住，不求精美。沒有災禍。

上九　渙其血去逖（ㄊㄧˋ）出，无咎。

　　渙散到流一些血（下卦為坎）也離開了憂傷（逖：同惕），沒有災禍。

水澤節（卦六十）

（水上澤下）節，亨，苦節不可貞。

　　節卦，亨通，太辛苦的節制不可貞定自己。

初九　不出戶庭，无咎。

　　不出去自家庭院，沒有災害。

九二　不出門庭，凶。

　　不出去大門之外，有凶險。

六三　不節若，則嗟若，无咎。

自己不節制就會嗟嘆後悔，沒有災禍。

六四　安節，亨。

安於節制，亨通。

九五　甘節，吉。往有尚。

甜美的節制，吉利。前進有專注的目標。

上六　苦節，貞凶，悔亡。

太過辛苦的節制，過頭了，貞定自己有凶險，但是沒有後悔。

風澤中孚（卦六十一）

（風上澤下）中孚，豚魚吉。利涉大川，利貞。

中孚卦，中間有信實的內在動力，二陰爻像魚鱗，澤亦為江，江豚（豚魚：即江豚[10]，長江中下游水系的小型淡水鯨，又稱長江江豚。）是吉利的。有利於跋涉過大的河川，有利於貞定自己。

10　吳澄《易纂言》，引自陳鼓應、趙建偉《周易今注今譯》（北京：商務，2005），頁546。

初九 虞吉，有它不燕。

憂慮（虞：憂慮）是吉利的，有其他的事就不能安適和樂（燕：安適和樂）。

九二 鳴鶴在陰，其子和之。我有好爵，吾與爾靡之。

鳴叫的鶴在樹蔭中，小鶴聽到了也應和著。我有好酒（爵：酒杯），我與你共享（靡：共享）。

六三 得敵，或鼓或罷，或泣或歌。

得到力量相當的敵人，敵對的過程也有可敬畏欣賞的力量；或擂鼓慶賀或停止，或哭泣或唱歌。

六四 月幾望，馬匹亡，无咎。

月亮幾近滿月，沒有健行的馬匹，到了上卦陰爻，卻有風行的力量，沒有災禍。

九五 有孚攣（ㄌㄨㄢˊ）如，无咎。

有內在信實的動力彼此牽繫不絕（攣：牽繫不絕），沒有災禍。

上九 翰音登于天，凶。

鳥聲飛到天上去，高亢入雲，凶險。尼采說：「我們從動物

中學習了一切的美德，只有飛鳥還超過他。」人只能堅持大地的
精義。

雷山小過（卦六十二）

（雷上山下）小過，亨，利貞。可小事，不可大
事。飛鳥遺之音，不宜上宜下，大吉。

小過卦，亨通，有利於貞定自己。可以小事有過，不可以大
事有過。飛鳥所遺留下的聲音，不適合往上，禁忌不能放在超越
性上，而只能往下放在橫貫性上。大大的吉利。

初六　飛鳥以凶。

下卦〈艮卦〉為禁忌，如想一飛而過，必定凶險。禁忌落實
在日常人生當中，必要敬畏。

六二　過其祖，遇其妣（ㄅㄧˇ），不及其君，遇其臣，
无咎。

想要不經過祖父，卻遇上祖母，不敢及於君王，正遇上其
臣，沒有災禍。只在〈六二〉陰爻，尚未觸〈九三〉故無大過可
言，這是企圖避開正主。

九三　弗過防之，從或戕（ㄑㄧㄤˊ）之，凶。

想要不經過是防備他們的威權，從而或會傷害他們，有凶

險。故而這是防備自己的「大過」了。

九四　无咎。弗過遇之，往屬必戒。勿用，永貞。

　　沒有災禍！想要不經過卻遇到，往那兒去很嚴峻，必定要小心警戒。不要被任用，永遠貞定自己，因為家長和君王的權威太大，在底下做事易遭大災禍。

六五　密雲不雨，自我西郊，公弋（一ヽ）取彼在穴。

　　陰雲密布的天空沒有下雨，風雲從西邊的郊外吹來，公爵本要射鳥（弋：把箭繫了線射出去），卻在鳥巢中抓到了。避開大過，取小過，也能在不經意間到達公爵的高位。

上六　弗遇過之，飛鳥離之，凶，是謂災眚。

　　沒有遇到卻經過了他們，飛鳥也離開了，凶險，是自取的災害。

水火既濟（卦六十三）

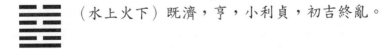（水上火下）既濟，亨，小利貞，初吉終亂。

　　既濟（濟：成功）卦，亨通，小小地有利於貞定自己，剛開始吉利而結果混亂。用「濡」（〈初九〉）字、用「繻」（〈六四〉）字，都跟「需要」有關，故類似〈需卦〉，〈水天需〉。

既濟是已經成功。

初九　曳其輪，濡其尾，无咎。

　　拖著車輪，濡濕了尾巴，沒有災害。

六二　婦喪其茀（ㄈㄨˊ），勿逐，七日得。

　　婦人喪失了她的首飾（茀：首飾），不要去追索尋找，七日
後復得。

九三　高宗[11]伐鬼方，三年克之，小人勿用。

　　殷高宗武丁征伐遊牧民族鬼方國，要三年才能克服，長久的
忍耐是必要的。沒有對未來遙遠的激情，市井小民就無法這樣等
待，忍耐是因生命需有大格局、大方略。

六四　繻（ㄒㄩ）有衣袽（ㄖㄨˊ），終日戒。

　　細密的羅衫（繻：細密的羅）也會成為破舊的衣服（袽：破
舊的衣服），終日用此事警戒自己，要防患未然！事情還沒有成
為「這個樣子」（已然），是看不見的。

─────────────

[11] 商君武丁，為商朝第 23 位國君，約逝於公元前 1192 年。在位 55 年，
提拔奴隸傅說等；又讓愛妻婦好成為女元帥、將領，也是一方諸侯。他
虛懷若谷，寬厚仁慈，是優秀政治家；也殺過大量戰俘。婦好墓已在
1976 年河南省安陽市發掘出，有大量青銅器、玉器、寶石等，各種立
體和浮雕的人像和動物像，還有神話中的龍、鳳，形態逼真，栩栩如生。

九五 東鄰殺牛，不如西鄰之禴（ㄩㄝˋ）祭，實受其福。

東鄰殺牛來盛大祭祀，不如西鄰用黍稷（禴：春祭，薄祭）[12]來薄祭。能夠主持春祭大禮，到達尊位，也是蒙受儉約惜物之福氣。

上六 濡其首，厲。

上卦〈坎卦〉已成，連頭都浸濕了，情勢嚴峻，可能達至淹沒！

火水未濟（卦六十四）

（坎下離上）未濟，亨。小狐汔（ㄑㄧˋ）濟，濡其尾，无攸利。

未濟卦，亨通。小狐狸渡河（濟：渡，或成功）快要（汔：近，幾乎）成功，卻濡濕牠的尾巴，無所謂利益。

初六 濡其尾，吝。

濡濕了尾巴，是有悔恨的。

九二 曳其輪，貞吉。

---

12 王弼曰：「牛，祭之盛者；禴：祭之薄者。」

倒拉車的輪子，無法前進，貞定自己是吉祥的。

六三　未濟，征凶，不利涉大川。

還沒有成功，出征有凶險，不利於跋涉過大河。一切都在過程中。

九四　貞吉悔亡，震用伐鬼方，三年有賞于大國。

貞定自己吉利，就沒有後悔，即殷高宗武丁伐鬼方一事，「一怒而鬼方定，故曰震」[13]。三年有成，犒賞大國部隊。

六五　貞吉，无悔，君子之光，有孚，吉。

貞定自己是吉祥的，不會後悔，君子的光榮在於有內在特異的能力，是吉祥的。

上九　有孚于飲酒，无咎。濡其首，有孚，失是。

有內在的動力於飲酒，沒有災禍。但喝酒喝到浸濕了頭，酒精上了腦袋，有內在的動力，也在此事上有差失了。

---

[13]　胡樸安《周易古史觀》（臺北：明文，1989），頁275。

扭轉乾坤（後記）

　　《易經》是哲學書，只能就哲學的概念思惟來解決，本書正是長期概念思惟的辛苦勞動的結晶。

　　孔子是哲學家，自謂「信而好古」，所以熱心搜求古代文獻。所以孔子說：「夏禮，吾能言之，杞不足徵也；殷禮，吾能言之，宋不足徵也。文獻不足故也，足則吾能徵之也。」（《論語・八佾》）孔子說他能說清楚、講明白；但是因文獻不足，無法證明。這是侷限於「禮」的後話！我們在《禮記・禮運》篇，看到有趣的對比，孔子所說的「文獻不足」現在畢竟有了最先的說明，具體而特殊，更顯得真實。孔子說：「我欲觀夏道，是故之杞，而不足徵也，吾得《夏時》焉。我欲觀殷道，是故之宋，而不足徵也，吾得《坤乾》焉。」「禮」稍拘限，「道」則廣闊；孔子自謂「志於道」。周人稱商為殷。孔子是文獻控，夏朝之道要到夏朝王室遺族被商湯分封的杞國去搜求文獻，文獻不足以證明夏朝之道。但《夏時》可以相信孔子也抄錄了不少史料攜回，殆可信為戰國時代孔門弟子流傳的《夏小令》。《夏時》是夏朝天文學，或者說是星象學和物候學的綜合，《夏時》原來是農時，「杞人憂天」原來是杞國人好仰觀天象。埃及人當看到天狼星升起，知道是七月十六日，就準備開始耕種，因為尼羅河河水氾濫，會把肥沃的土壤沖激到岸上。這就是《尚書・堯典》

中：「乃命羲和，欽若昊天，歷象日月星辰，敬授人時」的意思。制定曆法是根據日月星辰運行的狀況。夏朝有其傳承，宇宙現象的觀察與農業的生產。

至於殷商之道，1993 年湖北江陵王家台秦墓出土的《歸藏》簡，類東漢桓譚《新論‧正經》所說的秦朝精簡本四千三百言。《歸藏》記載很多神話故事、三代傳聞、歷史故事，比如黃帝與炎帝大戰、恆我（即嫦娥）竊不死之藥以奔月、武王伐殷等等，民間傳說荒煙浩渺，連「武王伐殷」都在其內就很難有個理路。只能是民俗中把一切雜揉一起，如擇日、災異占等，官府與民間是兩套！先民沉思的智慧，結晶成一本《易經》，只能是《歸藏》易。若相信孔子的文獻控，夏道就在《夏時》，殷商之道就在《坤乾》。

當顧炎武在《日知錄》中說：「三代以上，人人皆知天文，『七月流火』，農夫之辭也。」就知三代以上已注意到天文與農事的關係。「天文學和星相學的例子（在古代，這兩種學問可以和平共處）非常明顯：前者僅限於解釋星體的運動，以及它們彼此的位置……科學『保存』的現象，不可避免會留下一個無定形的殘餘，一個純粹的能指，星相學以這些純粹能指作為支撐，隨意將補充性的意義賦予這些純粹能指。」[1]科學面對星體的運動，要客觀地解釋它們星體之間相對應的位置。至於星象學則要主觀地解釋星體的運動，這是所謂「溢出的」（overflowing）能指、純粹的能指，星相學可以隨意賦予補充性的意義。夏代當然

---

[1]　吉奧喬‧阿甘本《品味》，藍江譯（上海：上海社會科學院，2019），頁 42-43。

有其天文學（也有其星相學，一直流傳），孔子所見的《夏時》必然包含了星象在時間相對應位置上的變動，還要結合春、夏、秋、冬四時及物候的出沒，星象學與物候學是作為宇宙整體來觀測，這是夏代的「宇宙現象學」，孔子欲觀的「夏道」。萬物生機勃發、出沒無常！龍的出沒，「見龍在田」。

夏朝是農業成熟的時代，蠶桑的結合已必早已向商業過渡，否則不會出現商朝開國之君商湯著名的禱辭竟是在大旱之後在「桑林」中產生，桑已成為全國的生命線！結合青銅器時代，牛車、馬車早已成為運送商品最有力的工具。尤其是馬的速度，在商業的需求上可以充分滿足。作戰用的馬隊，人馬一體，馬的行為現象已融入人的生活當中。這才能見到世界視野的廣大格局。如果蠶桑多由婦女操作，這也是〈坤卦〉卦辭出現「牝馬」的意思，母馬所孕育的生命可能性，女性的輕柔謹慎，一起共在先民的視野中。

龍是夏朝農業時代的產物，這種神祕生命結合了眾多有力部落的圖騰，在星象學和物候學的基礎上，說明的正是天地萬物生機勃發、出沒無常。龍上天下地、出沒無常，是天地之道；也表現萬物的生機勃發，由至細至精微到浩瀚星象、風雨雷電，故龍能巨能細。東漢許慎《說文解字》中對龍的解釋是：「龍，鱗蟲之長，能幽能明，能細能巨，能短能長，春分而登天，秋分而潛淵。」龍在天地之間出沒無常，在形體上的變化，總括了萬物生機勃發的形象，龍也是萬物之道。不惟是動物，當涉及到「春分」、「秋分」，春耕、夏耘、秋收、冬藏，植物也宛然在目。這當較合龍的原始涵意，「登天」時形象顯現，「潛淵」時形象隱蔽。天地雲雨，一切動植物生機勃發，夏朝之道由龍表現了萬

物之道。只不過夏朝未留下文字紀錄，但孔子畢竟在杞國見過《夏時》，可以相信是在星象學、物候學基礎上的夏曆，部分類似《夏小令》的內容。

　　至於商代的《歸藏》易，當由「人馬一體」先發！「歸藏」的意思是「萬物莫不歸藏於大地」，《歸藏》易是大地之道，〈坤〉為大地，大地亦即深淵！生命如孕育著可能性的牝馬，要小心謹慎；觀察牝馬的行為現象，這是「履霜，堅冰至」的原始涵義。只不過孔子到宋國去，見到的《坤乾》實則即《歸藏》易，他卻在《周易》的基礎上看不出先坤後乾的排列有什麼意義！？這也是孔子「晚而喜易」的先聲吧！

　　周朝用「顛倒乾坤」的方式盜用了《歸藏》易！一方面《歸藏》易的全部內容都在，二來由於「首乾次坤」，在人文主義的基礎上，龍成為君子進德修業的人格象徵。理性是一個民族最晚到達的，現在卻變成我們的先天！成為「天道」的超越性，用精神的無限性取代生命的有限性，用道德形上學取代了生命哲學，用道德的先天取代了生活的智慧。

　　周朝的道德標準並不敢更動商朝的智慧書《歸藏》易，不致更動內容；只是乾坤挪移，這就樹立了父系社會的法統。只不過實踐之道成為超越之道，生命哲學成為道德形上學。這樣等於又再拾回夏朝作為天地、萬物之道的龍（至少是商朝眼中道的紀元），現在成為君子進德修業的人格的精神象徵。

　　由「飛龍在天」至「亢龍有悔」，這也就是「天地否」！新的創造力必繼之而起，要以最快的速度獲得最大的力量。創造力來自大地，在生活經驗中創造最大的可能性，由此大地升起，與天征戰。習俗之天墮落，創造之大地升起，是所謂「龍戰於

野」。上古最有力之雄辯，也是智慧的玄思！也就是「地天泰」的未來可能性。「龍戰於野」！天與地的戰爭！前者出於創造，但創造終必歸於僵化。新的紀元：由「潛龍」、「見龍」、「飛龍」到「亢龍」，再次「龍戰於野」。「見龍在田」和「龍戰於野」中的「田」和「野」是地平線上的相對位置，「田」是人類生活的界域，「野」是無人的所在。

總之，「龍戰於野」既富於意象思惟，又富於概念思惟！是詩與哲學的交岔點。以海德格的說法：是世界與大地的爭戰；以中國式的說法，是天與地的爭戰！舊時價值的標榜，終將回歸於大地。正如龍之浴血苦戰，終將回歸於深淵。故而〈坤卦・上六〉在前，再接續〈乾卦・初九〉才是正理。「龍戰於野」要接之以「潛龍勿用」。

何況許慎《說文解字》中釋「龍」字，幾等於天地之道、萬物之道。那麼《易傳》視「龍」為君子進德業的精神象徵，只能視為《周易》首乾次坤的一種人文主義的解釋；並不合於「龍」的原始含義。

以《周易》為中軸，《易傳》為孔子晚而喜《易》乃至傳《易》的發展。孔子所讀之《易》是《周易》，但孔子欲窺殷商之道，到宋國所見是《坤乾》，如內容有異，孔子必有文獻家式的抄錄！顯見「乾坤顛倒」，孔子是無感的！《坤乾》正是《歸藏》易首坤次乾的順序，《坤乾》正是《歸藏》易！周朝是人文主義，夏、商已千年，必不肯毀此智慧之書，只是扭轉了順序！成為「乾先坤後」。《歸藏》易為商朝成熟之智慧，必成於商朝晚期。

「野」的意涵，許慎也說得清楚：邑外曰郊，郊外曰牧，牧

外曰野。在放牧牛羊之外，那是無人的荒野。龍所爭戰之處，是天地之道、萬物之道的大地，不是人文主義的「邑」（城邦）！不在人間。

「乾坤，其易之門邪？」當孔子說他欲窺殷商之道，而到微子啟（紂王之兄）被分封的宋國去搜求文獻，孔子看到的是《坤乾》，這與《周易》的「首乾次坤」，只有「首坤次乾」的不一致。仿此說法，《周易》亦可稱為《乾坤》。因為內容的一致，孔子就無鈔本。至於夏道，在戰國時代孔子弟子中有疑為孔子鈔本的《夏小令》流傳。周朝不能行殷商之道，故隱去《歸藏》易的名字，僅以《坤乾》表之。宋國的《坤乾》不就是《歸藏》易？孔子正是見證人。

夏朝的星象學和物候學，令人感到天地間一片盈盈生機，部落社會的聯盟在風雨雷電中，見證了飛天鑽地的宇宙神祕生命力，許慎《說文解字》注龍，就是先民對天地萬物嘖嘖稱奇的讚歎。商朝是農商社會的成熟，馬進入人類社會，青銅器的發明使馬的速度得以為人所用，但商朝人的智慧在生命如懷胎孕育創造的理想，需如「牝馬」輕巧的試探！〈坤卦〉在前，是母系社會的「利牝馬貞」！至於周朝，倒轉乾坤，又以龍為精神人格的象徵，是人文主義的覺醒。

龍戰於野，天與地的戰爭，到最後是道的隱蔽與開顯，放在歷史上的決定時刻，成為道的紀元（epoch）（老子所謂「道紀」），道的紀元的展開與結束，彰顯與消隱。在夏朝，龍是部落社會的綜合圖騰，象徵宇宙生命力。

孔子並未提及《周易》是誰作的，僅《易繫辭》提及：「易之興也，其於中古乎？作易者，其有憂患乎？」周文王（前

1125-前 1051）是中國商朝末期諸侯國周國君主，說文王被囚於羑里，寫下《周易》：「西伯拘羑里，演《周易》。」這出自《史記‧太史公自序》，問題在於「演」字，不是「作」字，孔子也「演」《周易》，演的是《易傳》。孔子稱道周公「制禮作樂」，未說周文王「作」《周易》；周武王是周朝第一代天子，周公是武王弟，若是文王著，在周朝當大書特書。孔子稱頌「文王之德之純」，未說周文王「作」《周易》。

　　我的立論如下：老子、孔子是師生，在思想上是有傳承的。孔子與老子的師生關係何等緊密，老子去魯國主持友人葬禮，即邀十七歲的孔子助葬！「巷黨助葬」不僅載於《禮記‧曾子問》，也載於《史記‧孔子世家》。「孔子適周，將問禮於老子」，也記載於《史記‧老子韓非列傳》。老子所言，是「老師」對「學生」的「批示」！老子說：「道生之，德蓄之，物形之，勢成之。」孔子說：「志於道，據於德，依於仁，游於藝。」孔子的「道」、「德」兩個概念總有恍惚之感，「道」與超越性的「天」相關，但「德」受到孟子才確定為「性」的概念。孔子敬畏老子為嚴師，故孔子說：「吾述而不作，信而好古，竊比於我老彭。」老子是古代思想集大成者，「吾」是內在的我，「我」是外在的我，「我」字表示「我」與「老彭」親密的「關係」，老子擔任彭祖為世襲之官（連莊子都以為彭祖乃高壽之人），在孔子以前只有道家。《論語‧微子》篇中的隱者是道家人物，而孔子先祖為宋國人，本為殷商之後，故孔子曾至宋國訪求殷商之道，看到《坤乾》一書，這與他看到的《周易》只有「首坤次乾」的排列順序不同。這應是《歸藏》易！

　　孔子晚而喜《易》，自詡為「文王既沒，文不在茲乎？」

（《論語・子罕》）是周文王文化道統的承繼者，也欣慕周公的制禮作樂。但孔子是儒家道德形上學的建立者，是周朝全新的文化思潮，孔子並未說是《《周》易》，故《周易》不過是「首乾次坤」！馬的速度，結合青銅器的發明，牛車、馬車，在廣度的見識上，沉澱出生命的智慧。商朝所獨有的，是「利牝馬貞」的《歸藏》易，首坤次乾。

　　重要的是〈坤卦・上六〉的「龍戰於野」，是龍在大地浴血苦戰，接下去只能是潛龍在淵，負傷流血，在深淵涵養生息，也就是〈乾卦・初九〉的「潛龍，勿用。」孕育著「道紀」的開展，一個沛然莫之能禦的向量。但〈坤〉、〈乾〉的順序被改成〈乾〉、〈坤〉，《歸藏》易就被《周易》隱藏了，其實只有一部《易經》，是《歸藏》易。

　　簡單地說，「龍戰於野」是龍在荒地上戰鬥負傷，要龍潛深淵，休養生息。接下去當然是「潛龍勿用」！故而〈坤卦・上六〉接下去是〈乾卦・初九〉，〈坤卦〉應在〈乾卦〉之前，首坤次乾。《周易》的順序不合理，擺在我們眼皮底下的，幾千年來無人覺察：是《周易》倒轉乾坤，偷天換日。

　　「龍戰於野」是歷史上被壓抑的形象，孔子在宋國見過的《坤乾》才是正確的順序，即是《歸藏》易！

　　在《論語》中有〈微子〉一章，微子（是長子，掌管家族祭器及重要典籍）是紂王（商朝晚期已改為嫡長子繼承王位）庶兄，因紂母初為帝乙妾，後才扶正為后。微子曾數諫紂王，紂不聽，乃去。武王滅紂，封紂子武庚以續湯祀。武王死，武庚叛，成王改封微子於宋，為宋國之祖。宋國在河南商邱縣一帶，老子為楚國苦縣人，北靠商邱縣；孔子的祖籍是宋國不假；莊子是宋

國人。宋國是殷商遺民集中之地，保存殷商文化的傳統。

　　以〈微子〉為篇名，不見得記宋國事，但卻有一股隱者的氛圍，迥異於孔子及弟子。不論是否殷商文化的影響，卻與道家文化精神相近。例如「長沮」是高個子、全身沾滿泥漿，「桀溺」也是高個子而足溺田泥中，子路問渡口（津），此兩人只是以「物色」名之，不是本名，當屬隱者。長沮、桀溺聽說過孔夫子，說：「與其從避人之士也，豈若從避世之士哉？」也就是說：「你與其跟隨躲避人的人，不如跟隨躲避世界的人。」就是說孔子到處奔波，與這國人不合就避往那國，與那國人不合又避到這裡，不如你跟隨我們躲避世界的人！不留戀人間的名利。說罷「耰而不輟」，仍用犁耙翻土，專注在其工作中。至於荷蓧丈人，子路落後夫子，問這用柺杖挑著除草器的老人：「你看見我的老師嗎？」老人專注著眼前的工作，說：「四體不勤，五穀不分。」四肢不勤快勞動，莊稼就與雜草無法分開，「我沒見過你老師。」說罷，「植其杖而芸」。把柺杖插在田地上，繼續除草。後見子路恭敬而立，留子路住宿，殺雞做飯款待他。子路後來俱告孔子，孔子說：是隱者也。隱者文化，沒入了手前的工作，用身體的知覺或者說手的認知模式，逃避了「世界」，逃避了人的日常認知模式。

　　特別的是楚狂接輿，《皇疏》認其有姓有名，「接輿」只是其字，或仍以物色名之較好。「狂」是其特色，李白詩：「我本楚狂人，鳳歌笑孔丘。」狂是特色，孔夫子亦識得「狂」，故說「狂者進取，狷者有所不為。」《韓詩外傳》更說：「楚狂使者齎金百鎰，願請治河南，接輿笑而不應。」〈微子〉篇中的「楚狂接輿，歌而過孔子之門。」更像是莊子〈人間世〉一篇歌

詞的節文。「接輿」如禮賓司迎接車駕，是職業，隱者，能力，治國的能力和手的認知模式結合在一起，豈非老子所說：「治大國若烹小鮮。」？無論如何，《論語‧微子》好像有一「隱者」的文化氛圍，當他們認為孔子是「知其不可而為之」，就認為孔子是無可救藥的「人文主義」。孔子的夫子是老子，道家才真是古文化的傳統。孔子「晚而喜易」，從《周易》的首乾次坤後開展人文主義的大創造，儒家是從道家文化中新興起的人文主義。

夏朝是部落農業社會，龍是綜合圖騰，所謂「見龍在田」！以各部族的差異綜合出宇宙多樣的生命力，龍的文化。有圖騰就有禁忌，故《連山》首〈艮〉！（山）是一連串的族長的禁忌，維持生命的綿延傳遞。商朝是在農業社會為基礎上形成的商業社會，鳳是商朝的部落圖騰，無怪乎莊子〈逍遙遊〉中以大鵬精神貫串，莊子是宋國人，鵬即古鳳字。但商業社會所求的「速度」，是由馬帶來，在長久母系社會的基礎上，認識到生命即孕育，孕育廣大遙遠的理想，如女性懷胎生子！故《歸藏》首坤，卦辭曰：「利牝馬貞」。

《周易》將《歸藏》易「乾坤倒轉」，又將首要地位給了龍；而《易傳》是孔子「晚而喜易」之後，玩味、闡發《周易》所傳，龍成為君子進德修養的精神象徵。

哲學思惟是概念思惟，歷史視野也只有概念定得住。「龍戰於野」充滿詩思，可以說是意象思惟。在《周易》中位於〈坤卦‧上六〉，孤立、無援，其義模糊。「野」字按許慎：「邑外曰郊，郊外曰牧，牧外曰野。」如此嚴格的定義，「野」是無人放牧的荒野，無人的所在，那麼龍就不能視為人格精神的象徵。道紀（epoch）是道在歷史上的開展，舊的世界由「飛龍在天」

到「龍戰於野」的浴血苦戰，習俗的價值終必歸於僵化、乏力，老子說法是：「善復為妖」（《老子・58 章》），終必回歸於大地，在深淵中重新孕育新的方向。

只有《坤乾》才說得通，孔子是目擊證人，殷商之道在《坤乾》，這就是《歸藏》易。哲學思惟是長期的概念勞動，只要概念存在，靈光一點，萬古不磨。有長期辛苦的勞動，三更燈火五更雞，才偶然得到了「芝麻開門」的咒語！扭轉《周易》的《乾坤》，就得到《歸藏》的《坤乾》。

〈坤卦・上六〉的「龍戰於野，其血玄黃。」一般解如《易傳》，「天玄而地黃」。但如果是神祕的黃色，那麼天龍之血是大地的顏色，天龍回歸於大地。那麼我們見到天龍在大地上浴血苦戰，天龍的血是大地之血，天龍作戰的對象為何？大地！故天龍與大地是二合一的，既敵對又合一。我們最好設想天龍與大地為道在歷史上的開放與隱蔽，而開放來自於隱蔽。可以把「龍戰於野」思考為先民傳遞給我們，而我們未曾深思的一幅驚人的圖象。

連連看，龍負傷流血，要回歸大地的深處——深淵！但龍潛深淵的「潛龍勿用」，卻是〈乾卦・初九〉。這在首乾次坤的《周易》，其順序變得無法理解！如果把龍的運動看成連環圖象，〈乾卦・初九〉「潛龍，勿用。」和〈九二〉「見龍在田」，是由深淵到人類居住的界域（田），由深淵的隱蔽，朝向在人類居住的界域即大地的地平線爬升，到〈九四〉「或躍在淵」，又回到隱蔽的深淵。這都是道在若隱若現，或是隱蔽或是開放的狀態。直到〈九五〉「飛龍在天」，完全的開放，進入全民的視野中，好像天道的力量完全展現，毫無隱蔽。開放的力量

維持在完全開放，而完全開放的力量無法完全維持長久，會逐漸衰退，故〈上九〉「亢龍有悔」，過分盛極高亢是無法維持長久的。故而在這連環圖象中合理的下墜是唯一途徑，必然要接著「龍戰於野」，九天之上的飛龍必要回歸地平線，卻何以放在〈坤卦・上六〉？中間隔了〈坤卦〉前五爻？

　　《周易》首乾次坤之不合理，只要改成首坤次乾，就完全說得通，這是孔子所見的《坤乾》，殷商之道，這就是《歸藏》。從〈初六〉到〈六五〉都是人的實踐之道，但〈坤卦・卦辭〉「利牝馬貞。」故〈初六〉「履霜，堅冰至。」好像沒說明主辭，更可能是人觀察馬的行動：懷孕的母馬的行為現象，成為人類行為的模範，甚至是最高的生命智慧。動物智慧的啟示，是人馬之間，人馬一體。這是對人的啟示：在小心謹慎中如何獲致最大的力量。這是生命智慧學，感覺生命最微妙的波動。輕微的寒冷，預示著前方有堅冰的災禍到來。這就是生命的根本智慧，筆直、方正、廣大的道路。實踐的路線是地平線，成就的是大地人物。〈六三〉「或從王事，無成有終。」「或」是疑辭，人生尋求的是機緣，或者你跟隨到最有力量的人（王）做事，感覺到最小的波動，什麼對自己是好的，能保全自己；所以即使沒什麼成就，也能保全自己。由牝馬行路的「履霜，堅冰至」，再經由人事歷練所凝斂的修養之道：「括囊，无咎无譽。」也就是保持低調的晦暗之道。重要的是不惹什麼災禍，也不需要什麼光榮。直到自己成為最有力量的人，這是來自根源的吉祥。「黃裳，元吉。」黃是土地的顏色，「黃裳」是成為大地上最有力量的人。這個「元」字，可用道家的「德」字相通。〈坤卦〉前五爻完成的是實踐之道。到〈上六〉面臨到既定價值、習俗價值的崩毀、

墜落，所謂「龍戰於野，其血玄黃。」必須重新以橫向的大地價值來做衡定。大地上最有力量的人，呼應著宇宙新生的力量；而舊有的力量衰退，陷落到深淵中去沉潛。「潛龍，勿用。」新的價值逐漸出現在人類生活的界域中，這是〈乾卦・九二〉「見龍在田。」

　　如果我們以高、低的二元來審量〈乾〉、〈坤〉兩卦，高的是「天空」。出現在〈乾卦〉〈九五〉和〈上九〉。〈乾卦・九五〉「飛龍在天。」〈上九〉「亢龍有悔。」「最」低的是「深淵」，都出現在〈乾卦〉，〈初九〉「潛龍勿用。」和〈九四〉「或躍在淵，无咎。」故「天空」或「深淵」說的是道在歷史上的開放或隱蔽，「亢龍」表示開放由極盛而衰。其餘八爻比起「天空」皆「低」，「大地」與「深淵」其義一也。但最好說是橫向的水平線。「野」是無人的所在，「田」是人類生活的界域；前者是〈坤卦・上六〉「龍戰於野」，後者是〈乾卦・九二〉「見龍在田」。由〈坤卦・上六〉「龍戰於野」至〈乾卦・初九〉「潛龍勿用」是龍的浴血苦戰、無力飛升，只好深潛，是連續的運動。再從潛藏中出現，則「見龍在田」，在隱蔽和開放的二元辯證間時隱時顯，故有「或躍在淵」。直到最後完全的開放，我們用道家的「道」對等於「龍」，故道在完全的開放時，也就是「飛龍在天」了。要維持完全的開放，在一段時間過後無力維持，故有「亢龍有悔」。故〈乾卦〉的表現多為道的連動，只有〈九三〉是見道的君子，此時道雖出現在人類生活的界域，但還在隱、顯間，故「君子終日乾乾」。

　　〈坤卦・初六〉是人觀察母馬的行為模式而有領悟，後四爻均可說為人的實踐之道，但〈上六〉是道的運動。也就是說，如

單論道的運動，應由〈乾卦・九五〉「飛龍在天」、〈乾卦・上九〉「亢龍有悔」到〈坤卦・上六〉「龍戰於野」才有運動的一貫性，如何會隔著〈坤卦〉前五爻？這就是因為《歸藏》易或《坤乾》先自「人間之道」開始，終於「習俗價值」的崩落，所謂「龍戰於野」，再展開「天地之道」由深淵到天空。這有點類似海德格早、晚期的分野。

「龍戰於野」是中國古史最動人的圖像，最雄辯的沉思，是天與地的戰爭，也是海德格義的世界與大地的衝突。「在瓦堡那裡，正是那看起來是無意識的結構範例的東西──圖像──卻相反自我展示為一個決定性的歷史元素，是處在它與過去的生死攸關的遭遇中的，人類的認識的活動場所。」[2]乾為天、坤為地，乾坤扭轉，天地為之變色。「龍戰於野」的圖像也就是中國商朝無意識的結構範例，這決定性的歷史元素已認識到道紀的變動，對人來說，那也是生死攸關的遭遇。這幅圖像只有在《歸藏》易或孔子在宋國見過的《坤乾》，才能得到連續的運動圖像。只不過孔子習見的是《周易》的首乾次坤，重視的是天道的超越性，不知《坤乾》之所以然。

這是中國古史中殷商先民無意識結構的一幅圖像，生死攸關！**《周易》是中國虛假的先天，《歸藏》易是中國真實的先天！**

---

[2]　阿甘本《阿比・瓦堡與無名之學》，王立秋等譯（桂林：灕江出版社，2018），頁26。

國家圖書館出版品預行編目資料

中國的《聖經》——商朝的《歸藏》易

趙衛民著. – 初版. – 臺北市：臺灣學生，2022.09
面；公分

ISBN 978-957-15-1889-3 (平裝)

1. 經學

091.83　　　　　　　　　　　　111011597

中國的《聖經》——商朝的《歸藏》易

著　作　者　趙衛民
出　版　者　臺灣學生書局有限公司
發　行　人　楊雲龍
發　行　所　臺灣學生書局有限公司
地　　　址　臺北市和平東路一段 75 巷 11 號
劃　撥　帳　號　00024668
電　　　話　(02)23928185
傳　　　眞　(02)23928105
E - m a i l　student.book@msa.hinet.net
網　　　址　www.studentbook.com.tw
登記證字號　行政院新聞局局版北市業字第玖捌壹號
定　　　價　新臺幣三五〇元
出　版　日　期　二〇二二年九月初版
I S B N　978-957-15-1889-3

09111